studio [21]

A2

Vokabeltaschenbuch

Deutsch als Fremdsprache

Cornelsen

Vokabeltaschenbuch

Die Vokabeln finden Sie hier in der Reihenfolge ihres ersten Auftretens in der linken Spalte aufgelistet. In der mittleren Spalte können Sie die Übersetzung in Ihrer Muttersprache eintragen. In der rechten Spalte stehen die neuen Vokabeln in einem geeigneten Satzzusammenhang.

Die chronologische Vokabelliste enthält den Wortschatz von Start bis Einheit 12, inklusive der Stationen 1 – 4. Wörter, die nicht Teil des Zertifikatswortschatzes sind, sind kursiv gedruckt. Zahlen, grammatische Begriffe sowie Namen von Personen, Städten und Ländern sind nicht in der Liste enthalten.

Alle Substantive sind mit ihrem Artikel und der Pluralform angegeben. Bei Verben ist zusätzlich die 3. Person Singular im Präsens und im Perfekt angegeben.

Symbole, Abkürzungen und Konventionen

Ein (".") oder ein ("_") unter dem Wort zeigt den Wortakzent:

a̧ = kurzer Vokal

a̲ = langer Vokal

Pl. (Plural) = Es gibt dieses Wort nur im Plural.

etw. = etwas

jmdn. = jemanden

jmdm. = jemandem

Willkommen in A2

Willkommen in A2

der **Sachtext,** *die Sachtexte* . . . . einen Sachtext verstehen

das **Landeskundequiz,** *die Landes-*
kundequizze . . . . das Landeskundequiz lösen

das **Quiz,** *die Quizze* . . . . das Quiz lösen

1 Brücken in Europa

der **Kilometer,** *die Kilometer* . . . . Die Vasco-da-Gama-Brücke ist 17,2 km lang.

der **Kontinent,** *die Kontinente* . . . . Die Bosporus-Brücke in Istanbul verbindet zwei
Kontinente.

die **Straßenbrücke,** *die Straßen-*
brücken . . . . Die Straßenbrücke gibt es seit 1973.

aussehen, *er sieht aus, er hat*
ausgesehen . . . . Die ältesten Brücken Europas sehen so aus wie auf
dem 5-Euro-Schein.

orientalisch	. . . .	Die Bosporus-Brücke verbindet die orientalische und die europäische Kultur.
europäisch	. . . .	Die Bosporus-Brücke verbindet die orientalische und die europäische Kultur.
sondern	. . . .	Diese Brücke ist keine Brücke für Menschen, sondern für Wasser, ein Aquädukt.

1.1b

das	**Aquädukt**, *die Aquädukte*	. . . .	Diese Brücke ist keine Brücke für Menschen, sondern für Wasser, ein Aquädukt.
die	**Original-Brücke**, *die Original-Brücken*	. . . .	Die Original-Brücke war aus Holz.
das	**Holz**, *die Hölzer*	. . . .	Die Original-Brücke war aus Holz.
	bauen, *er baut, er hat gebaut*	. . . .	1325 baute man eine Brücke aus Stein.
der	**Stein**, *die Steine*	. . . .	1325 baute man eine Brücke aus Stein.
das	**Mittelalter**	. . . .	Brücken mit Häusern waren im Mittelalter normal.
	faszinierend	. . . .	Ich finde diese Brücke faszinierend.
der	**Stahl**	. . . .	Die Brücke ist aus Stahl.
das	**Metall**, *die Metalle*	. . . .	Die Brücke ist aus Metall.

der	**Stadtteil**, *die Stadtteile*	. . . .	Brücken verbinden Städte und Stadtteile.
der	**Fußgänger**, *die Fußgänger*	. . . .	Eine Brücke für Fußgänger heißt Fußgängerbrücke.
die	**Fußgängerin**, *die Fußgängerinnen*	. . . .	Die Fußgängerin geht über die Fußgängerbrücke.
die	**Bahnbrücke**, *die Bahnbrücken*	. . . .	Es gibt viele Bahnbrücken in Europa.

2 Die Brücke von A1 zu A2

2.1a	der	**Schattenriss**, *die Schattenrisse*	. . . .	Zeichnen Sie einen Schattenriss von Ihrer Partnerin / Ihrem Partner.
2.1d		**Portugiesisch**	. . . .	In Portugal spricht man Portugiesisch.
2.2a	der	**Yoga-Kurs**, *die Yoga-Kurse*	. . . .	Der Yoga-Kurs beginnt gleich.
		verpassen, *er verpasst, er hat verpasst*	. . . .	Ich habe die U-Bahn verpasst.
		völlig	. . . .	Das habe ich völlig vergessen.
		absagen, *er sagt ab, er hat abgesagt*	. . . .	Ich muss den Termin absagen.

2.2b	die	**Sprechblase**, die Sprechblasen	Lesen Sie die Sprechblasen und sammeln Sie Gründe.
2.2c	der	**Stau**, die Staus	Ich stehe im Stau.
		variieren, er variiert, er hat variiert	Variieren Sie die Gründe und Entschuldigungen.
2.3a		**wegen**	Tut mir leid wegen gestern.
	der	**Donnerstagabend**, die Donnerstagabende	Wir treffen uns am Donnerstagabend.
		vielleicht	Geht es vielleicht am Freitag?
	der	**Spanisch-Kurs**, die Spanisch-Kurse	Vorher habe ich noch einen Spanisch-Kurs.
		nachmittags	Am Donnerstag kann ich nur nachmittags.
2.3b	die	**Alternative**, die Alternativen	Ich finde eine Alternative.
	das	**Dialogmodell**, die Dialogmodelle	Arbeiten Sie zu zweit mit dem Dialogmodell.
		verschlafen, er verschläft, er hat verschlafen	Am Montagmorgen habe ich verschlafen.

die	**Wohnungsbesichtigung**, die Wohnungsbesichtigungen	. . . .	Ich möchte einen Termin für eine Wohnungsbesichtigung machen.
die	**Wohnungsanzeige**, die Wohnungsanzeigen	. . . .	Ich lese eine Wohnungsanzeige in der Zeitung.
die	**Innenstadt**, die Innenstädte	. . . .	Die Wohnung ist in der Innenstadt.
die	**Kaltmiete**, die Kaltmieten	. . . .	Die Kaltmiete ist 320 Euro.
die	**Miete**, die Mieten	. . . .	Die Miete für die Wohnung ist 320 Euro.
die	**Autowerkstatt**, die Autowerkstätten	. . . .	Ich rufe in der Autowerkstatt an.
der	**Motor**, die Motoren	. . . .	Der Motor läuft nicht mehr.

3

3.1 Fit für A2

die	**Situation**, die Situationen	. . . .	Spielen Sie die verschiedenen Situationen.
die	**Wendung**, die Wendungen	. . . .	Üben Sie die Wendungen in Mini-Dialogen.
	Grüß Gott!	. . . .	Er begrüßt mich mit Grüß Gott!
der	**Kellner**, die Kellner	. . . .	Der Kellner schreibt die Bestellung auf.

die	**Kellnerin,** die Kellnerinnen	Die Kellnerin schreibt die Bestellung auf.
	begrüßen, er begrüßt, er hat begrüßt	Er begrüßt mich mit Grüß Gott!
der	**Mini-Dialog,** die Mini-Dialoge	Üben Sie die Wendungen in Mini-Dialogen.
der	**Abschnitt,** die Abschnitte	Der Text hat mehrere Abschnitte.
der	**Mitbewohner,** die Mitbewohner	Mitbewohner wohnen zusammen in einer WG.
die	**Mitbewohnerin,** die Mitbewohnerinnen	Ich habe zwei Mitbewohnerinnen.
die	**National-Elf**	Die deutsche National-Elf trägt blaue T-Shirts und schwarze Hosen.
	Moin Moin	Im Norden sagt man „Moin Moin" statt „Guten Tag".
	neutral	„Auf Wiedersehen" ist neutral.
	geboren sein, er ist geboren	Johann Wolfgang von Goethe ist in Leipzig geboren.
	bekannt	„Red Bull" ist ein bekannter Energy Drink.

der	**Energy Drink**, die Energy Drinks	„Red Bull" ist ein bekannter Energy Drink.
der	**Sponsor**, die Sponsoren	Die Firma ist ein bekannter Sponsor für den Motorsport.
die	**Sponsorin**, die Sponsorinnen	Die Fußballmannschaft hat eine Sponsorin.
das	**Red-Bull-Team**, die Red Bull-Teams	Sebastian Vettel war mit dem Red-Bull-Team 2010 Weltmeister.
der	**Weltmeister**, die Weltmeister	Sebastian Vettel war mit dem Red-Bull-Team 2010 Weltmeister.
die	**Weltmeisterin**, die Weltmeisterinnen	Nadine Angerer war mit der Frauen National-Elf 2003 und 2007 Weltmeisterin.
die	**Hauptmahlzeit**, die Hauptmahlzeiten	In Deutschland gibt es drei Hauptmahlzeiten.
die	**Brotzeit**	Abends isst man oft eine Brotzeit.
die	**Fußballnationalmannschaft**, die Fußballnationalmannschaften	Die deutsche Fußballnationalmannschaft war 2014 Weltmeister.
die	**Kreditkarte**, die Kreditkarten	Von der Bank bekommt man eine Kreditkarte.

1 Leben und lernen in Europa

die	**Ọstseeinsel**, *die Ostseeinseln*	.....	Sylt ist keine Ostseeinsel.
der	**Kantọn**, *die Kantone*	.....	Der Kanton Aargau liegt im Norden der Schweiz.
der	**Sịtz**, *die Sitze*	.....	Der Sitz der Bundeskanzlerin ist das Bundeskanzleramt.
der	**Bụndeskanzler**, *die Bundeskanzler*	.....	Der Sitz des Bundeskanzlers ist das Bundeskanzleramt.
die	**Bụndeskanzlerin**, *die Bundeskanzlerinnen*	.....	Der Sitz der Bundeskanzlerin ist das Bundeskanzleramt.

1 Leben und lernen in Europa

die	**Migratiọn**	.....	über Sprachen und Migration sprechen
das	**Bụ̈rgeramt**, *die Bürgerämter*	.....	Das Bürgeramt ist in der Innenstadt.
die	**Ạrbeitserlaubnis**	.....	Zum Arbeiten braucht man eine Arbeitserlaubnis.

die	**Volkshochschule** (VHS), die Volkshochschulen	. . . .	In der Volkshochschule hat sie einen Deutschkurs gemacht.
der	**Gastarbeiter**, die Gastarbeiter	. . . .	Die neuen Gastarbeiter kommen aus Südeuropa.
die	**Gastarbeiterin**, die Gastarbeiterinnen	. . . .	Carolina, Alice und Gabriella sind Gastarbeiterinnen.
der	**Grund**, die Gründe	. . . .	Das ist ein guter Grund.
die	**Krise**, die Krisen	. . . .	Die Krise ist in diesen Ländern ein Problem.
	vor allem	. . . .	Vor allem junge Menschen finden keinen Job.
	jung	. . . .	Vor allem junge Menschen finden keinen Job.
	mobil	. . . .	Sie sind mobil.
der	**Flug**, die Flüge	. . . .	Die Flüge sind billig.
die	**Job-Chance**, die Job-Chancen	. . . .	Sie sehen ihre Job-Chancen oft in Deutschland.
	verlassen, er verlässt, er hat verlassen	. . . .	Sie verlassen ihre Heimat und gehen nach Deutschland.
der	**Spanier**, die Spanier	. . . .	2012 sind rund 30.000 Spanier nach Deutschland gekommen.
die	**Spanierin**, die Spanierinnen	. . . .	Carolina ist Spanierin.

der	**Grieche**, die Griechen	. . . .	Viele Griechen und Griechinnen sind nach Deutschland gekommen.
die	**Griechin**, die Griechinnen	. . . .	Viele Griechen und Griechinnen sind nach Deutschland gekommen.
der	**Italiener**, die Italiener	. . . .	In Berlin leben viele Italiener.
die	**Italienerin**, die Italienerinnen	. . . .	Gabriella ist Italienerin.
der	**Ungar**, die Ungarn	. . . .	Genauso viele Ungarn sind 2012 nach Deutschland gekommen.
die	**Ungarin**, die Ungarinnen	. . . .	Ihre Freundin ist Ungarin.
das	**Nachrichtenmagazin**, die Nachrichtenmagazine	. . . .	DER SPIEGEL ist ein Nachrichtenmagazin.
	berichten, er berichtet, er hat berichtet	. . . .	Das Nachrichtenmagazin DER SPIEGEL hat darüber berichtet.
	darüber	. . . .	Das Nachrichtenmagazin DER SPIEGEL hat darüber berichtet.
	nennen, er nennt, er hat genannt	. . . .	DER SPIEGEL hat sie „Die neuen Gastarbeiter" genannt.
der	**Titel**, die Titel	. . . .	Carolina war 2013 auf dem Titel.

zurückgehen, er geht zurück, er ist zurückgegangen	. . . .	Später ist er zurück nach Spanien gegangen.
das **Marketing**	. . . .	Carolina hat Marketing studiert.
paar (*ein paar*)	. . . .	Sie war im Studium schon ein paar Monate in Berlin.
spanisch	. . . .	Sie findet die Stadt jünger und internationaler als spanische Städte.
der **Winter,** die Winter	. . . .	Die Winter in Berlin sind viel länger und kälter als in Spanien.
der **Anfang (die Anfänge)**	. . . .	Ihr Deutsch war am Anfang noch nicht so gut.
die **Chance,** die Chancen	. . . .	Sie hatte nach dem Studium keine Chance auf einen Job.
die **Krisenzeit,** *die Krisenzeiten*	. . . .	In der Krisenzeit gab es keine Arbeitsplätze.
der **Marketing-Experte,** *die Marketing-Experten*	. . . .	In der Krisenzeit gab es keine Arbeitsplätze für Marketing-Experten.
die **Marketing-Expertin,** *die Marketing-Expertinnen*	. . . .	In der Krisenzeit gab es keine Arbeitsplätze für Marketing-Expertinnen.
staatlich	. . . .	Sie hat einen Deutschkurs an der staatlichen Sprachschule besucht.

das	**Gymnasium**, die Gymnasien	Später hat sie am Gymnasium weiter Deutsch gelernt.
	weiterlernen, er lernt weiter, er hat weitergelernt	Sie hat weiter Deutsch gelernt.
	weil	Sie hat weiter Deutsch gelernt, weil es ihr Spaß gemacht hat.
die	**Literatur**, die Literaturen	Sie interessiert sich sehr für deutsche Literatur.
	dorthin	Erst 1990 konnte sie öfter dorthin reisen.
	reisen, er reist, er ist gereist	Erst 1990 konnte sie öfter dorthin reisen.
der	**Konzern**, die Konzerne	Henkel ist ein deutscher Konzern.
der	**Mitarbeiter**, die Mitarbeiter	Henkel hat in Prag 250 Mitarbeiter.
die	**Mitarbeiterin**, die Mitarbeiterinnen	Alice ist eine Mitarbeiterin.
der	**Kooperationspartner**, die Kooperationspartner	Die wichtigsten Kooperationspartner sind in Linz und in Düsseldorf.
die	**Kooperationspartnerin**, die Kooperationspartnerinnen	Die wichtigsten Kooperationspartnerinnen sind in Linz und in Düsseldorf.

der	**ERASMUS-Student,** *die ERAS-MUS-Studenten*	. . . .	Er war ERASMUS-Student.
die	**ERASMUS-Studentin,** *die ERASMUS-Studentinnen*	. . . .	Sie war ERASMUS-Studentin.
das	**Auslandssemester,** *die Auslandssemester*	. . . .	Sie ist für ein Auslandssemester nach Spanien gegangen.
	ziehen (zu jmdm.), *er zieht zu ihr, er ist zu ihr gezogen*	. . . .	Nach dem Studium ist sie zu ihm nach München gezogen.
das	**Examen,** *die Examen*	. . . .	Er macht gerade sein Examen.
der	**Intensivkurs,** *die Intensivkurse*	. . . .	In München hat sie zwei Intensivkurse besucht.
das	**Praktikum,** *die Praktika*	. . . .	Jetzt macht sie ein Praktikum bei einem Gericht.
das	**Gericht,** *die Gerichte*	. . . .	Jetzt macht sie ein Praktikum bei einem Gericht.
	fantasiereich	. . . .	Sie findet Deutsch fantasiereicher und komplexer als Italienisch.
	komplex	. . . .	Sie findet Deutsch fantasiereicher und komplexer als Italienisch.
die	**Herausforderung,** *die Herausforderungen*	. . . .	Deutsch ist eine Herausforderung.

schnell . . . . Man hat schnell Erfolg.

der **Erfolg**, die Erfolge . . . . Man hat schnell Erfolg.

herrlich . . . . Man hat schnell Erfolg, das ist ein herrliches Gefühl.

das **Gefühl**, die Gefühle . . . . Man hat schnell Erfolg, das ist ein herrliches Gefühl.

1 Die neue Arbeitsmigration

die **Arbeitsmigration** . . . . Es gibt mehr Arbeitsmigration aus Südeuropa.

1.1a **überfliegen**, *er überfliegt, er hat überflogen* . . . . Überfliegen Sie die Texte aus dem Magazin.

1.1b das **Semester**, die Semester . . . . Sie hat ein Semester in Spanien studiert.

2 Ist Deutsch ein „Plus" oder ein „Muss"?

das **Plus** . . . . Ist Deutsch ein „Plus" oder ein „Muss"?

das	**Muss**	Ist Deutsch ein „Plus" oder ein „Muss"?
	abschließen (etw.), er schließt ab, er hat abgeschlossen	Ich möchte mein Studium in Deutschland abschließen.
der	**Studienplatz,** die Studienplätze	Mein Traum ist ein Studienplatz in Europa.
der	**Maschinenbau**	Ich lerne Deutsch, weil ich Maschinenbau studieren will.
die	**Elektrotechnik**	Ich lerne Deutsch, weil ich Elektrotechnik studieren will.
das	**Berufsziel,** die Berufsziele	Mein Berufsziel ist Deutschlehrer.
	faszinieren, es fasziniert, es hat fasziniert	Die deutsche Sprache hat mich schon immer fasziniert.
	arabisch	Deutschlernen ist jetzt in der arabischen Welt sehr populär.
	populär	Deutschlernen ist jetzt in der arabischen Welt sehr populär.
das	**Deutschlernen**	Deutschlernen ist jetzt in der arabischen Welt sehr populär.

2.1a

die	**Firma**, die Firmen	. . . .	Er arbeitet bei einer deutschen Firma.
2.1a das	*Textverstehen*	. . . .	Überprüfen Sie Ihr Textverstehen.
	<u>ein</u>setzen **(etw.)**, er setzt ein, er hat eingesetzt	. . . .	Setzen Sie die Informationen ein.
der	**Lesetext**, *die Lesetexte*	. . . .	Setzen Sie die Informationen aus den Lesetexten ein.
der	**Kontakt**, die Kontakte	. . . .	Er hat nicht viel Kontakt zu Deutschen.
	tun (etw.), er tut etw., er hat etw. getan	. . . .	Er tut etwas Gutes.
die	*Berlinreise, die Berlinreisen*	. . . .	Ich habe eine Berlinreise gebucht.
	buchen (etw.), er bucht, er hat gebucht	. . . .	Ich habe eine Berlinreise gebucht.
2.4 die	*Lern-Biografie, die Lernbiografien*	. . . .	Ich schreibe meine Lern-Biografie.
der	**Platz**, die Plätze	. . . .	Auf Platz vier liegt Italien.
die	*Heiratsagentur, die Heiratsagenturen*	. . . .	ERASMUS ist auch eine große Heiratsagentur für Akademiker.

das **ERASMUS-Semester,** *die ERASMUS-Semester*	. . . .	Viele junge Leute lernen im ERASMUS-Semester ihren Lebenspartner kennen.
warum	. . . .	Warum hast du Deutsch gelernt?
heiraten, er heiratet, er hat geheiratet	. . . .	Ich habe einen Spanier geheiratet.

3 Mehrsprachigkeit oder Englisch für alle?

3.1

gratis	. . . .	Der Newsletter ist gratis.
der **Newsletter,** *die Newsletter*	. . . .	Der Newsletter ist gratis.
abonnieren (etw.), *er abonniert etw., er hat etw. abonniert*	. . . .	Er hat den gratis Newsletter abonniert.

3.2

das **Genuesisch**	. . . .	Seine Muttersprache war Genuesisch.
italienisch	. . . .	Genuesisch ist ein italienischer Dialekt.
der **Dialekt,** *die Dialekte*	. . . .	Genuesisch ist ein italienischer Dialekt.
Lateinisch	. . . .	Seine Briefe hat er auf Lateinisch geschrieben.

der	**Portugiese**, die Portugiesen	. . . .	Dann hat sie einen Portugiesen geheiratet.
die	**Portugiesin**, die Portugie-sinnen	. . . .	Dann hat er eine Portugiesin geheiratet.
	benutzen, er benutzt, er hat benutzt	. . . .	Er hat Italienisch nicht mehr benutzt.
die	**Umgangssprache**, die Umgangssprachen	. . . .	Seine Umgangssprache war jetzt Portugiesisch.
der	**König**, die Könige	. . . .	Später hat er für den König von Spanien gearbeitet.
die	**Königin**, die Königinnen	. . . .	Der König ist mit der Königin verheiratet.
das	**Schiff**, die Schiffe	. . . .	Sein Schiff war die „Santa Maria".
	segeln, er segelt, er ist gesegelt	. . . .	Mit drei Schiffen segelte er nach Westen.
das	**Zitat**, die Zitate	. . . .	Es gibt viele Meinungen zu diesem Zitat.
der	**Vorteil**, die Vorteile	. . . .	Deutsch ist ein Plus, weil man Vorteile im Beruf hat.
der	**Präsident**, die Präsidenten	. . . .	Klaus-Dieter Lehmann ist Präsident des Goethe-Instituts.
die	**Präsidentin**, die Präsiden-tinnen	. . . .	Jutta Limbach war Präsidentin des Goethe-Instituts.

3.3

3.4	die	**Weltsprache,** die Weltsprachen	. . . .	Englisch ist eine Weltsprache.
		nützlich	. . . .	Deutsch ist nützlich im Beruf.
3.6d	der	**Englischunterricht**	. . . .	Die meisten Schüler im Englischunterricht sind jünger als 14.

4   Rekorde

	der	**Rekord,** die Rekorde	. . . .	Vergleichen Sie die Rekorde.
4.1a		**japanisch**	. . . .	Der japanische Shinkansen Zug ist am schnellsten.
		britisch	. . . .	Der britische Intercity Zug ist am schnellsten.
	der	**Intercity,** die Intercitys	. . . .	Der britische Intercity ist ein Zug.
	die	Atomuhr, die Atomuhren	. . . .	Atomuhren gehen am genauesten.
	die	Digitaluhr, die Digitaluhren	. . . .	Digitaluhren gehen am genauesten.
	die	**Kuckucksuhr,** die Kuckucksuhren	. . . .	Kuckucksuhren kommen aus Deutschland.
4.1b	die	**Quizfrage,** die Quizfragen	. . . .	Schreiben Sie weitere Quizfragen im Kurs.

	hoch	. . . .	Der Berg ist sehr hoch.
der	**Superlativ**, *die Superlative*	. . . .	Markieren Sie die Superlative.
	englisch	. . . .	Das Sandwich kostet 100 englische Pfund.
der	**Welt-Rekord**, *die Welt-Rekorde*	. . . .	Den Welt-Rekord für das teuerste Sandwich hält England.
	wiegen, *er wiegt, er hat gewogen*	. . . .	Der größte Hamburger wiegt 913 Kilo.
	gehören (jmdm.), *es gehört ihm, es hat ihm gehört*	. . . .	Die schnellste Nudelküche gehört Fei Wang.
die	**Portion**, *die Portionen*	. . . .	Er hat drei Portionen Nudeln gemacht.
das	**Steak**, *die Steaks*	. . . .	Das längste Steak war 27 Meter lang.
	servieren, *er serviert, er hat serviert*	. . . .	In Frankreich hat man das längste Steak serviert.
die	**Kuh**, *die Kühe*	. . . .	Das Steak war länger als die Kuh.
	nämlich	. . . .	Das Steak war länger als die Kuh, nämlich 27 Meter lang.
	möglich		Wie ist das möglich?

4.1c
4.2

4.3	der	**Wettbewerb**, die Wettbewerbe	. . . .	Das Goethe-Institut hat einen Wettbewerb organisiert.
		mitmachen, er macht mit, er hat mitgemacht	. . . .	12.000 Menschen haben mitgemacht.
	das	**Fernsehen**	. . . .	Die Zeitungen und das Fernsehen haben berichtet.
4.3a	die	**Begründung**, die Begründungen	. . . .	Lesen Sie die Begründungen.
		rascheln, es raschelt, es hat geraschelt	. . . .	Mein schönstes deutsches Wort lautet „rascheln".
		lauten, es lautet, es hat gelautet	. . . .	Mein schönstes deutsches Wort lautet „rascheln".
		geheimnisvoll	. . . .	Rascheln ist geheimnisvoll.
		unheimlich	. . . .	Rascheln ist unheimlich.
		heimelig	. . . .	Rascheln ist heimelig.
		zugleich	. . . .	Rascheln ist geheimnisvoll, unheimlich und heimelig zugleich.
	der	**Sommerregen**, die Sommerregen	. . . .	Ich finde, „Sommerregen" ist das schönste deutsche Wort.

der	**Geruch**, die Gerüche	. . . .	Ich mag den Geruch von Sommerregen.
	erinnern (sich an etw.), er erinnert sich an etw., er hat sich an etw. erinnert	. . . .	Er erinnert mich an den Sommer.
die	**Rhabarbermarmelade**, die Rhabarbermarmeladen	. . . .	Er isst ein Brot mit Rhabarbermarmelade.
der	**Klang**, die Klänge	. . . .	Rhabarbermarmelade – was für ein Klang!
das	**Wirrwarr**	. . . .	„Wirrwarr" ist für mich das schönste deutsche Wort.
	fassen (in Sprache fassen)	. . . .	„Wirrwarr" fasst das Chaos auch in Sprache.
die	**Sternschnuppe**, die Sternschnuppen	. . . .	Mein schönstes deutsches Wort ist „Sternschnuppe".
der	**Wunsch**, die Wünsche	. . . .	Nach einer Sternschnuppe hat man immer einen Wunsch frei.
die	**Kichererbse**, die Kichererbsen	. . . .	Mein schönstes deutsches Wort heißt „Kichererbse".
	lustig	. . . .	Mein schönstes deutsches Wort heißt „Kichererbse", weil es so lustig ist.

	verrückt	. . . .	„Verrückt" – ist doch schön, wenn nicht alles gerade ist.
	gerade	. . . .	„Verrückt" – ist doch schön, wenn nicht alles gerade ist.
der	**Quatsch**	. . . .	Das ist doch Quatsch.
	anhören (sich), *es hört sich an, es hat sich angehört*	. . . .	„Quatsch" hört sich so an, als würde man wo drauftreten.
	drauftreten, *er tritt drauf, er ist draufgetreten*	. . . .	„Quatsch" hört sich so an, als würde man wo drauftreten.
die	**Seite**, die Seiten	. . . .	Das kommt an den Seiten wieder raus.
	entfernt	. . . .	Lieben ist nur ein „i" vom Leben entfernt.
die	**Pusteblume**, die Pusteblumen	. . . .	Mein schönstes deutsches Wort lautet „Pusteblume".
	klingen (nach etw.), *es klingt, es hat geklungen*	. . . .	„Pusteblume" klingt wunderschön und nach Sommer.
	dazu	. . . .	„Pusteblume" lädt dazu ein das zu tun, was der Name sagt.

einladen (zu etw.), er lädt ein, er hat eingeladen   . . . .   „Pusteblume" lädt dazu ein das zu tun, was der Name sagt.

pusten, er pustet, er hat gepustet   . . . .   „Pusteblume" lädt dazu ein zu pusten.

Ü Übungen

Ü1b der **Fachmann**, die Fachmänner/ Fachleute   . . . .   Der Experte ist Fachmann für seinen Beruf.

die **Fachfrau**, die Fachfrauen/ Fachleute   . . . .   Die Expertin ist Fachfrau für ihren Beruf.

Ü1c das **Marketing-Studium**   . . . .   In Deutschland ist das Marketing-Studium sehr beliebt.

Ü2b der **Arbeiter**, die Arbeiter   . . . .   Viele Fabriken haben Arbeiter gesucht.

die **Arbeiterin**, die Arbeiterinnen   . . . .   Sie kam als Arbeiterin nach Deutschland.

Ü2c die **Spalte**, die Spalten   . . . .   Einige Aussagen passen in beide Spalten.

geb. (=geboren)   . . . .   Auma Obama, geb. 1960, kommt aus Kenia.

der **Schriftsteller**, die Schriftsteller   . . . .   Sie mag den Schriftsteller Heinrich Böll.

die	**Schriftstellerin**, die Schriftstel-lerinnen	. . . .	Sie mag die Schriftstellerin Christa Wolf.
	promovieren, er promoviert, er hat promoviert	. . . .	Sie hat in Bayreuth promoviert.
die	**Filmakademie**, die Filmakade-mien	. . . .	Sie hat an der Filmakademie in Berlin studiert.
die	**Präsidentenwahl**, die Präsi-dentenwahlen	. . . .	2008 hat sie ihrem Bruder bei der Präsidentenwahl geholfen.
	dazwischenkommen, etw. kommt dazwischen, etw. ist dazwischengekommen	. . . .	Das Leben kommt immer dazwischen.
der	**Germanist**, die Germanisten	. . . .	Ein Germanist studiert deutsche Literatur.
die	**Germanistin**, die Germanis-tinnen	. . . .	Auma Obama ist Germanistin.
der	**Politiker**, die Politiker	. . . .	Barack Obama ist Politiker.
die	**Politikerin**, die Politikerinnen	. . . .	Auma Obama ist keine Politikerin.
der	**Test** (B1-Test), die Tests	. . . .	Glauco will den B1-Test machen.
der	**Chinese**, die Chinesen	. . . .	Warum lernen viele Chinesen Englisch?

Ü4b

Ü7a

Ü7b

die	*Chines*in, *die Chinesinnen*	. . . .	Meine Freundin ist Chinesin.

das	*Mandar*in	. . . .	Im Moment lerne ich in einem Kurs Mandarin.
der	*Sprachexperte, die Spra-chenexperten*	. . . .	Er ist ein richtiger Sprachexperte.
die	*Sprachenexpertin, die Spra-chenexpertinnen*	. . . .	Dann waren Sie schon früh eine Sprachenexpertin!
	Schwedisch	. . . .	In der Familie haben wir Deutsch und Schwedisch gesprochen.
der	*Englischlehrer, die Englischleh-rer*	. . . .	Ich habe viele Jahre als Englischlehrer in Schweden gearbeitet.
die	*Englischlehrerin, die Englisch-lehrerinnen*	. . . .	Ich habe viele Jahre als Englischlehrerin in Schweden gearbeitet.

	zusammenleben, sie (Pl.) leben zusammen, sie haben zusammengelebt	. . . .	Sie will mit Markus zusammenleben.

die	*Sprachenbiografie, die Sprachenbiografien*	. . . .	Schreiben Sie Ihre Sprachenbiografie.

das	**Port*f*olio**, die Portfolios	. . . .	Beantworten Sie die Fragen aus dem Sprachenportfolio.
das	**Spr*a*chenportfolio**, die Spra-chenportfolios	. . . .	Beantworten Sie die Fragen aus dem Sprachenportfolio.
	tr*äu*men, er träumt, er hat geträumt	. . . .	In welcher Sprache träume ich?
das	**E-Book**, die E-Books	. . . .	Er liest das E-Book.
die	**Gr*u*ndform**, die Grundformen	. . . .	Markieren Sie die Grundform.
der	**T*ie*rrekord**, die Tierrekorde	. . . .	Sprechen Sie über Tierrekorde.
der	**Gep*a*rd**, die Geparden	. . . .	Das schnellste Tier auf dem Land ist der Gepard.
der	**W*a*nderfalke**, die Wander-falken	. . . .	Der Wanderfalke ist noch schneller.
der	**Walhai**, die Walhaie	. . . .	Der Walhai ist der größte Fisch.
der	**Blauwal**, die Blauwale	. . . .	Der Blauwal ist kein Fisch.
der	**Vogel Strauß**	. . . .	Der Vogel Strauß ist der größte Laufvogel auf der Erde.
die	**Gir*a*ffe**, die Giraffen	. . . .	Der Hals von der Giraffe ist länger als der Hals vom Vogel Strauß.

2 Familiengeschichten

der	**Laufvogel**, die Laufvögel	Der Vogel Strauß ist der größte Laufvogel auf der Erde.
die	**Webseite**, die Webseiten	Mehr als jede zweite Webseite ist auf Englisch und Chinesisch.
	englischsprachig	Es gibt mehr englischsprachige Personen im Internet als chinesische.

Ü15

2 Familiengeschichten

die	**Familiengeschichte**, die Familiengeschichten	die Familiengeschichten lesen
	beglückwünschen, er beglückwünscht, er hat beglückwünscht	jemanden beglückwünschen
	taufen, er wird getauft, er ist getauft worden	Das Kind wird in der Kirche getauft.

die	**Geschwister**, Pl.	. . . .	Ich habe drei Geschwister.
der	*Zwilling, die Zwillinge*	. . . .	Meine Brüder sind Zwillinge.
die	**Hochzeit**, die Hochzeiten	. . . .	Marianne und Peter feiern Hochzeit.
der	<u>E</u>hering, die Eheringe	. . . .	Sie tauschen die Eheringe aus.

Familie Saalfeld

1 1.1a

	letzte, letzter, letztes	. . . .	Das Foto haben wir letzten Sommer gemacht.
	hinter	. . . .	Ich sitze hinter meinem Schwager Marko.
der	*Schwager, die Schwager*	. . . .	Ich sitze hinter meinem Schwager Marko.
das	*Geburtsjahr, die Geburtsjahre*	. . . .	Ihr Geburtsjahr ist 1959.
	stolz	. . . .	Sie sind sehr stolz auf ihre drei Enkelkinder.
das	*Enkelkind, die Enkelkinder*	. . . .	Sie sind sehr stolz auf ihre drei Enkelkinder.
der	**Enkel**, die Enkel	. . . .	Marianne hat einen Enkel.
die	**Enkelin**, die Enkelinnen	. . . .	Marianne hat zwei Enkelinnen.
die	**Oma**, die Omas	. . . .	Die Enkel sind gerne bei Oma und Opa.

der	**Opa**, die Opas	. . . .	Die Enkel sind gerne bei Oma und Opa.
	hinten	. . . .	Mein Bruder Matthias steht hinten in der Mitte.
1.2a die	**Softwarefirma**, die Software-firmen	. . . .	Er arbeitet bei einer Softwarefirma in Halle.
der	**Oldtimer**, die Oldtimer	. . . .	Sie interessiert sich für Oldtimer.
das	**Familienfoto**, die Familien-fotos	. . . .	Ich habe alte Familienfotos von meiner Oma.
1.3 die	**Zuckertüte**, die Zuckertüten	. . . .	Was ist eine Zuckertüte?
	ledig	. . . .	Ich bin ledig.
	geschieden	. . . .	Meine Schwester ist geschieden.
	verwitwet	. . . .	Meine Oma ist verwitwet.
das	**Einzelkind**, die Einzelkinder	. . . .	Ich bin ein Einzelkind.

2 Meine Verwandten

| der/ die | **Verwandte**, die Verwandten | . . . . | Meine Verwandten wohnen in Rudolstadt. |

2.1a	die	**Schwiegermutter,** die Schwiegermütter	. . . .	Meine Schwiegermutter heißt Marianne.
	die	**Schwiegereltern** (Pl.)	. . . .	Meine Schwiegermutter und mein Schwiegervater sind meine Schwiegereltern.
2.1b	die	**Tante,** die Tanten	. . . .	Meine Tante und mein Onkel wohnen in Berlin.
	die	**Nichte,** die Nichten	. . . .	Meine Nichte ist noch klein.
	der	**Neffe,** die Neffen	. . . .	Mein Neffe ist fünf Jahre alt.
	der	**Cousin,** die Cousins	. . . .	Mein Cousin spielt gerne Fußball.
2.2	der	**Schwiegersohn,** die Schwiegersöhne	. . . .	Ist das der Schwiegersohn von Günther?
2.3	die	*Urgroßeltern* (Pl.)	. . . .	Da hinten stehen meine Urgroßeltern.
	die	**Großeltern** (Pl.)	. . . .	Daneben sitzen meine Großeltern.
	die	**Großmutter,** die Großmütter	. . . .	Rechts ist meine Großmutter.
	die	**Schwiegertochter,** die Schwiegertöchter	. . . .	Vorn sind die Schwiegertöchter.
	der	**Onkel,** die Onkel	. . . .	Unser Onkel steht neben unserer Tante.

2.6	das	**Partnerinterview**, die Partner-interviews	. . . . . .	Führen Sie ein Partnerinterview.
	die	**Cousine**, die Cousinen	. . . . . .	Am liebsten gehe ich mit meiner Cousine ins Kino.
2.7	das	**Familienrätsel**, die Familien-rätsel	. . . . . .	Wer kann das Familienrätsel lösen?
2.9a		**herzlich**	. . . . . .	Zu meinem 60. Geburtstag lade ich euch herzlich ein.
	die	**Gaststätte**, die Gaststätten	. . . . . .	Die Geburtstagsfeier findet in der Gaststätte „Stadt-Garten" statt.
		mitbringen, er bringt mit, er hat mitgebracht	. . . . . .	Bitte bringt gute Laune mit!
	die	**Geburtstagsfeier**, die Geburts-tagsfeiern	. . . . . .	Ich lade euch zu meiner Geburtstagsfeier ein.
2.10		**schenken**, er schenkt, er hat geschenkt	. . . . . .	Was schenkst du deiner Oma zum Geburtstag?
	der	**Blumenstrauß**, die Blumen-sträuße	. . . . . .	Ich schenke ihr einen Blumenstrauß.
		Herzlichen Glückwunsch!	. . . . . .	Ich sage „Herzlichen Glückwunsch!"

der	**Glückwunsch,** die Glückwünsche	. . . .	Ich sage ihr meine Glückwünsche.
das	**Lippentraining**	. . . .	Machen Sie das Lippentraining.
der	**L<u>au</u>t,** die L<u>au</u>te	. . . .	Hören und üben Sie die Laute.

3 Au-pair – Arbeiten und Fremdsprachen lernen in einer Familie

die	**Brosch<u>ü</u>re,** die Broschüren	. . . .	eine Broschüre systematisch lesen
	fremd	. . . .	Sie lernen fremde Sprachen und Kulturen kennen.
	sog<u>a</u>r	. . . .	Man bekommt sogar ein bisschen Geld.
das	**Au-p<u>ai</u>r,** die Au-pairs	. . . .	In der Schweiz gibt es mehr als 15.000 Au-pairs.
	etwa	. . . .	In Deutschland gibt es etwa 30.000 Au-pairs.
	singen, er singt, er hat gesungen	. . . .	Au-pairs singen mit den Kindern.
	basteln, er bastelt, er hat gebastelt	. . . .	Sie basteln mit den Kindern.

aufräumen, er räumt auf, er hat aufgeräumt . . . . Au-pairs räumen das Kinderzimmer auf.

spülen, er spült, er hat gespült . . . . Sie spülen das Geschirr.

staubsaugen, *er staubsaugt, er hat gestaubsaugt* . . . . Au-pairs staubsaugen das Kinderzimmer.

bügeln, *er bügelt, er hat gebügelt* . . . . Au-pairs bügeln die Kleidung.

sonstige . . . . Auch sonstige Hilfe bei der Hausarbeit kann zu ihren Aufgaben gehören.

die **Hausarbeit**, die Hausarbeiten . . . . Auch sonstige Hilfe bei der Hausarbeit kann zu ihren Aufgaben gehören.

die **Aufgabe**, *die Aufgaben* . . . . Bügeln, Staubsaugen und Spülen kann zu ihren Aufgaben gehören.

maximal . . . . Die maximale Arbeitszeit beträgt 30 Stunden in der Woche.

betragen, etw. beträgt, etw. hat betragen . . . . Die maximale Arbeitszeit beträgt 30 Stunden in der Woche.

	inklusive	. . . .	Die maximale Arbeitszeit beträgt 30 Stunden inklusive Babysitting.
das	**Babysitting**	. . . .	Babysitting ist Teil ihrer Arbeit.
die	**Unfallversicherung**, die Unfallversicherungen	. . . .	Die Familie bezahlt eine Unfallversicherung.
das	**Taschengeld**	. . . .	Als Au-pair verdient man etwa 260 Euro Taschengeld im Monat.
	anderthalb	. . . .	Als Au-pair hat man anderthalb Tage pro Woche frei.
der	**Sprachkurs**, die Sprachkurse	. . . .	Die Au-pairs können einen Sprachkurs besuchen.
die	**Unterkunft**, die Unterkünfte	. . . .	Die Unterkunft bei der Familie ist kostenlos.
die	**Verpflegung**, die Verpflegungen	. . . .	Die Verpflegung bei der Familie ist kostenlos.
	kostenlos	. . . .	Unterkunft und Verpflegung bei der Familie sind kostenlos.
der	**Franken**, die Franken	. . . .	In der Schweiz verdient man als Au-pair 790 Franken Taschengeld.
die	**Hälfte**, die Hälften	. . . .	Die Familie bezahlt die Hälfte vom Sprachkurs.

die	**Reisekosten**, *(Pl.)*	. . . .	Die Reisekosten muss man selbst bezahlen.
	selbst	. . . .	Die Reisekosten muss man selbst bezahlen.
die	**Au-pair-Agentur**, *die Au-pair-Agenturen*	. . . .	Es gibt in Deutschland etwa 300 Au-pair-Agenturen.
die	**Vermittlung**, *die Vermittlungen*	. . . .	Au-pair-Agenturen übernehmen die Vermittlung.
	übernehmen, *er übernimmt, er hat übernommen*	. . . .	Au-pair-Agenturen übernehmen die Vermittlung.
	plus: *Au-pair 50 plus*	. . . .	Ein Trend ist „Au-pair 50 plus" für Menschen über 50.
	ältere, *älterer, älteres*	. . . .	Auch viele ältere Menschen finden die Arbeit als Au-pair attraktiv.
	zusammenpassen, *sie (Pl.) passen zusammen, sie haben zusammengepasst*	. . . .	Manchmal passen die Au-pairs und die Familie nicht zusammen.
die	**Ordnung**	. . . .	Sie haben andere Ideen von Ordnung.
die	**Kindererziehung**	. . . .	Sie haben andere Ideen von Kindererziehung.

die	**Arbeitskraft**, die Arbeitskräfte	. . . .	Manche Familien wollen nur eine billige Arbeitskraft.
der	**Aufenthalt**, die Aufenthalte	. . . .	Für viele Au-pairs ist es der erste Aufenthalt im Ausland.
das	**Heimweh**	. . . .	Sie haben Heimweh.
	wohlfühlen (sich), *er fühlt sich wohl, er hat sich wohl- gefühlt*	. . . .	Sie fühlen sich nicht wohl in der Familie oder dem Land.

4 Ein mysteriöser Fall

	mysteriös	. . . .	Das ist ein mysteriöser Fall.
4.1	der	**Artikel**, die Artikel	. . . .	Überfliegen Sie den Artikel aus der „Abendzeitung".
4.1a		**vermissen**, *er vermisst, er hat vermisst*	. . . .	Seit Montag vermisst die Familie Mari.
		weg (sein), *er ist weg, er war weg*	. . . .	Mari M. ist weg.

zurückkommen, er kommt zurück, er ist zurückgekommen · · · · · · · · Sie hatte frei und ist nicht zurückgekommen.

die **Sorge (sich Sorgen machen),** er macht sich Sorgen, er hat sich Sorgen gemacht · · · · · · · · Die Familie macht sich große Sorgen.

der **Mittwochmorgen, die Mittwochmorgen** · · · · · · · · Die Familie hat am Mittwochmorgen die Polizei alarmiert.

alarmieren, er alarmiert, er hat alarmiert · · · · · · · · Die Familie hat am Mittwochmorgen die Polizei alarmiert.

das **Rätsel, die Rätsel** · · · · · · · · Die Familie steht vor einem großen Rätsel.

die **Informatik** · · · · · · · · Er studiert Informatik in Stuttgart.

der **Informatik-Kurs, die Informatik-Kurse** · · · · · · · · Er unterrichtet dort einen Informatik-Kurs.

der **Sprachkursteilnehmer, die Sprachkursteilnehmer** · · · · · · · · Die Polizei hat die Sprachkursteilnehmer befragt.

die **Sprachkursteilnehmerin, die Sprachkursteilnehmerinnen** · · · · · · · · Die Polizei hat die Sprachkursteilnehmerinnen befragt.

	befragen, *er befragt, er hat befragt*	. . . .	Die Polizei hat die Sprachkursteilnehmer befragt.
	blond	. . . .	Mari ist groß und hat lange blonde Haare.
4.2	die **Textstelle**, *die Textstellen*	. . . .	Finden Sie die Textstellen und notieren Sie die Informationen.
	womit	. . . .	Womit war Mari unterwegs?
	reagieren (auf etw.), *er reagiert auf etw., er hat auf etw. reagiert*	. . . .	Wie reagiert die Familie auf den Fall?
4.3a	**dass**	. . . .	Herr Schirmer meint, dass die Familie sich Sorgen macht.
	gemeinsam	. . . .	Schreiben Sie gemeinsam eine Geschichte.
4.4a	**beschreiben**, *er beschreibt, er hat beschrieben*	. . . .	Beschreiben Sie Herrn Schirmer.
	weitergehen, *es geht weiter, es ist weitergegangen*	. . . .	Wie geht die Geschichte weiter?
	die **Geschichte**, *die Geschichten*	. . . .	Lesen Sie die Geschichten im Kurs vor.

4.5a   der   **Radiobericht**, *die Radiobe-* .... Hören Sie den Radiobericht und notieren Sie
richte   wichtige Informationen.

auftauchen, *er taucht auf, er* .... Au-pair aufgetaucht: Mari M. meldet sich.
ist aufgetaucht

Übungen

Ü2   **alleinerziehend** .... Jacqueline kümmert sich allein um ihren Sohn, sie
ist alleinerziehend.

Ü7   die   **Wortfamilie**, *die Wortfamilien* .... Ähnliche Wörter gehören zu einer Wortfamilie.

die   **Großfamilie**, *die Großfamilien* .... Auf dem Foto sieht man eine Großfamilie.

die   **Familienfeier**, *die Familienfei-* .... Auf dem Foto sieht man eine Familienfeier.
ern

die   **Feier**, *die Feiern* .... Auf dem Foto sieht man eine Großfamilie bei
einer Feier.

Ü12a   der   **Dialogabschnitt**, *die Dialog-* .... Ordnen Sie den Fotos die Dialogabschnitte zu.
abschnitte

Ü12b	die	**Studentenzeit**	. . . .	Das Foto ist aus meiner Studentenzeit.
	der	**Hippie**, die Hippies	. . . .	Wir waren richtige Hippies.
	der	**Schulfreund**, die Schulfreunde	. . . .	Er hatte ein Treffen mit alten Schulfreunden.
	die	**Schulfreundin**, die Schulfreundinnen	. . . .	Das ist eine alte Schulfreundin.
Ü13a	das	**Theatercafé**, die Theatercafés	. . . .	Wir feiern im Theatercafé.
	die	**Taufe**, die Taufen	. . . .	Die Taufe ist am Sonntag in der Peterskirche in Wien.
	der	**Einzug**	. . . .	Am Sonntag feiern wir unseren Einzug.
	das	**Standesamt**, die Standesämter	. . . .	Wir heiraten am 23.10.2015 im Standesamt München.
		Sehr geehrter/Sehr geehrte	. . . .	Sehr geehrter Herr Beerbaum/Sehr geehrte Frau Beerbaum
		Mit freundlichen Grüßen	. . . .	Mit freundlichen Grüßen, Franzi Müller
Ü16	die	**Lebensform**, die Lebensformen	. . . .	In Deutschland gibt es verschiedene Lebensformen.
Ü16b		**einsam**	. . . .	Christine ist oft einsam.

zusammenwohnen, sie wohnen zusammen, sie haben zusammengewohnt . . . . Andy und Rafael wohnen zusammen.

grau-weiß . . . . Luci hat ein grau-weißes Fell.

das **Fe̱ll**, die Felle . . . . Luci hat ein grau-weißes Fell.

die **Pfo̱te**, die Pfoten . . . . Luci hat weiße Pfoten.

3 Unterwegs

ä̱ußern, er äußert, er hat geäußert . . . . eine Vermutung äußern

die **Zu̱gfahrt**, die Zugfahrten . . . . eine Zugfahrt organisieren

der **Re̱isepass**, die Reisepässe . . . . Auf dem Foto gibt es keinen Reisepass.

die **Za̱hnbürste**, die Zahnbürsten . . . . Ich nehme auf Reisen immer eine Zahnbürste mit.

der	**Auto<u>schlü</u>ssel,** *die Autoschlüssel*	. . . .	Auf dem Foto sehe ich einen Autoschlüssel.
der	**<u>Rei</u>seführer,** *die Reiseführer*	. . . .	In ihrer Tasche ist ein Reiseführer.
der/das	**Kau<u>gu</u>mmi,** *die Kaugummis*	. . . .	Neben dem Geldbeutel liegen Kaugummis.
das	**Portemon<u>nai</u>e,** *die Porte-monnaies*	. . . .	Auf dem Foto gibt es ein Portemonnaie.
die	**H<u>a</u>ndcreme,** *die Handcremes*	. . . .	Auf dem Foto sehe ich eine Handcreme.
der	**R<u>e</u>genschirm,** *die Regen-schirme*	. . . .	In ihrer Tasche ist kein Regenschirm.

1

1.1 Eine Reise machen

das	**T<u>a</u>blet,** *die Tablets*	. . . .	Auf dem Foto sehe ich ein Tablet.
der	**St<u>a</u>dtplan,** die Stadtpläne	. . . .	Auf dem Foto gibt es einen Stadtplan.
die	**S<u>o</u>nnenbrille,** die Sonnenbril-len	. . . .	Im Koffer ist eine Sonnenbrille.

der	*Messekatalog, die Messekata-* loge	. . . .	Sie nimmt einen Messekatalog mit.
der	**Katalog**, die Kataloge	. . . .	Sie nimmt einen Katalog mit.
die	**Postkarte**, die Postkarten	. . . .	Auf dem Foto gibt es eine Postkarte.
der	*Flyer, die Flyer*	. . . .	In der Tasche ist ein Flyer.
der	*Messeausweis, die Messeaus-* weise	. . . .	Auf dem Foto sehe ich einen Messeausweis.
das	*Smartphone, die Smart-* phones	. . . .	In der Tasche ist ein Smartphone.
die	*Visitenkarte, die Visitenkarten*	. . . .	Sie hat Visitenkarten im Portemonnaie.
der	*Museumskatalog, die Muse-* umskataloge	. . . .	Er hat einen Museumskatalog im Koffer.
	beruflich	. . . .	Er ist beruflich gereist.
das	**Verkehrsmittel**, die Verkehrs- mittel	. . . .	Sie haben verschiedene Verkehrsmittel benutzt.
die	*Geschäftsreise, die Geschäfts-* reisen	. . . .	Sie hat eine Geschäftsreise gemacht.
	wahrscheinlich	. . . .	Wahrscheinlich ist er mit dem Zug gefahren.

1.2

1.4   **selten** . . . . Ich nehme auf Reisen selten einen Computer mit.

2   Eine Reise planen und buchen

2.1b

   hin . . . . Ich fahre am 23. August hin.

   zurück . . . . Ich fahre am 23. August hin und am 30. August zurück.

die **Klasse**, die Klassen . . . . Ich fahre 2. Klasse.

   bar . . . . Zahlen Sie bar?

die **Verbindung**, die Verbin-dungen . . . . Das ist Ihre Verbindung.

   umsteigen, er steigt um, er ist umgestiegen . . . . In Hamburg müssen Sie umsteigen.

   abfahren, er fährt ab, er ist abgefahren . . . . Der Zug fährt um 11 Uhr in Hannover ab.

   planmäßig . . . . Der Zug ist planmäßig um 13 Uhr in Amsterdam.

die **Umsteigezeit**, die Umsteige-zeiten . . . . Sie haben zehn Minuten Umsteigezeit.

	ankommen, er kommt an, er ist angekommen	. . . . . .	Der Zug kommt um 17 Uhr in Berlin an.
der	**Sitzplatz**, die Sitzplätze	. . . . . .	Soll ich Sitzplätze reservieren?
die	**Fahrkarte**, die Fahrkarten	. . . . . .	Was kosten die Fahrkarten?
	ausdrucken, er druckt aus, er hat ausgedruckt	. . . . . .	Sie druckt die Verbindung aus.
2.1c	**recherchieren**, er recherchiert, er hat recherchiert	. . . . . .	Recherchieren Sie die Verbindung im Internet.
der	**Preis**, die Preise	. . . . . .	Notieren Sie den Preis.
2.2a	*die* **Abflugzeit**, *die Abflugzeiten*	. . . . . .	Notieren Sie die Abflugzeit.
der	**Hinflug**, die Hinflüge	. . . . . .	Der Hinflug ist am 2. September um 11 Uhr.
der	**Rückflug**, die Rückflüge	. . . . . .	Der Rückflug ist am 9. September um 16.15 Uhr.
2.3	*der* **Fernbus**, *die Fernbusse*	. . . . . .	Seit 2012 kann man innerhalb von Deutschland mit dem Fernbus reisen.
die	**Busfahrt**, *die Busfahrten*	. . . . . .	Eine Busfahrt kann man im Internet buchen.
	meist	. . . . . .	Eine Busfahrt ist meist billiger als eine Fahrt mit der Bahn.
die	**Hinfahrt**, die Hinfahrten	. . . . . .	Die Hinfahrt ist am 19. August um 19.30 Uhr.

der	**Fahrschein**, die Fahrscheine	Ich hätte gerne drei Fahrscheine nach Hamburg.
der	*Direktflug, die Direktflüge*	Ist das ein Direktflug?
die	**Reservierung**, die Reservierungen	Ich möchte eine Reservierung, bitte.

2.4

das	*Reisewort, die Reisewörter*	die Reisewörter notieren
die	**Reise**, die Reisen	Ich mache eine Reise.
der	**Fahrplan**, die Fahrpläne	Ich drucke einen Fahrplan aus.

2.5

| der | *Reiseplan, die Reisepläne* | Vergleichen Sie die Reisepläne. |
| die | **dauern**, es dauert, es hat gedauert | Welche Reise dauert länger: Flug oder Bahn? |

2.6

| die | **S-Bahn**, die S-Bahnen | Wann fährt die S-Bahn nach Deisenhofen? |
| das | **Gleis**, die Gleise | Von welchem Gleis fährt der Zug ab? |

2.7

| | **aussteigen**, er steigt aus, er ist ausgestiegen | In Deisenhofen musst du aussteigen. |

der	*Fußweg*	Der Fußweg vom Bahnhof dauert zehn Minuten.
die	**Platzkarte**, die Platzkarten	Ich habe eine Platzkarte reserviert.
die	**Notiz**, die Notizen	Ich habe mir Notizen zum Reiseplan gemacht.

3 Unterwegs mit dem Zug

3.1a

sollen, er soll, er sollte .... Tommy soll heute noch einmal anrufen.

die **Nachricht,** die Nachrichten .... Ina hat die Nachricht für Tommy notiert.

3.2

die **Brezel,** die Brezeln .... Bring bitte Brezeln mit.

der **Keks,** die Kekse .... Tina soll Kekse mitbringen.

koffeinfrei .... Ich hätte gerne einen koffeinfreien Kaffee, bitte.

die **Tasse,** die Tassen .... Ich hätte gerne eine große Tasse Tee, bitte.

der **Süßstoff** .... Haben Sie Süßstoff?

sofort .... Ich bezahle sofort.

die **Quizshow,** die Quizshows .... Ist das hier ein Café oder eine Quizshow?

3.4

der **Sketch,** die Sketche .... Schreiben Sie einen Sketch.

der **oder-Sketch,** die oder-Sketche .... Schreiben Sie einen oder-Sketch und spielen Sie.

4 Gute Fahrt

4.1 die **S-Bahn-Impression**, die S-Bahn-Impressionen

Sehen Sie das Foto an und beschreiben Sie die S-Bahn-Impression.

4.1b der **Stillstand**

Am Bahnhof herrscht Stillstand.

der **Neubau**, die Neubauten

Man sieht links immer diese Neubauten.

hunderte

Aus hunderten Fenstern sieht man die S-Bahn vor sich.

4.2 **vorbeifahren (an etw.)**, ich fahre an etw. vorbei, ich bin an etw. vorbeigefahren

Jeden Morgen fahre ich am Hafen vorbei.

schauen (aus dem Fenster), ich schaue aus dem Fenster, ich habe aus dem Fenster geschaut

Ich schaue aus dem Fenster.

4.3 das **Reisegedicht**, die Reisegedichte

Hören Sie die Reisegedichte.

4.3a **schwierig**

Ein Maulwurf trifft eine schwierige Entscheidung.

die **Entscheidung**, die Entscheidungen

Ein Maulwurf trifft eine schwierige Entscheidung.

der	**Maulwurf**, die Maulwürfe	. . . .	Ein Maulwurf beschließt zu verreisen.
die	**Meise**, die Meisen	. . . .	Zwei Meisen beschlossen zu verreisen.
	beschließen, er beschließt, er hat beschlossen	. . . .	Zwei Meisen beschlossen zu verreisen.
	verreisen, er verreist, er ist verreist	. . . .	Ein Maulwurf und zwei Meisen verreisen.
	ob	. . . .	Ob sie zu Fuß gehen wollen, wissen sie noch nicht.
die	**Ameise**, die Ameisen	. . . .	In Hamburg lebten zwei Ameisen.
	verzichten, er verzichtet, er hat verzichtet	. . . .	Sie verzichten weise auf den letzten Teil der Reise.
	weise	. . . .	Sie verzichten weise auf den letzten Teil der Reise.
der	**Teil**, die Teile	. . . .	Sie verzichten weise auf den letzten Teil der Reise.
4.4	**vorhaben (etw.)**, er hat etwas vor, er hatte etwas vor	. . . .	Was haben die Menschen vor?

Ü Übungen

Ü2b

eins
. . . . Ich nehme zwei Portemonnaies mit: eins für Euro und eins für Schweizer Franken.

Ü3

die **Vermutung**, *die Vermutungen*
. . . . Formulieren Sie Vermutungen.

Ü4b

die **Ärzte-Konferenz**, *die Ärzte-Konferenzen*
. . . . Samirah war auf einer Ärzte-Konferenz.

die **Computer-Messe**, *die Computer-Messen*
. . . . Samirah hat eine Computer-Messe besucht.

das **Gesundheitswesen**
. . . . Samirah war auf einer Messe für Gesundheitswesen.

Ü6b

die **Mama**, *die Mamas*
. . . . Hallo Nils, hier ist Mama.

die **Reiseverbindung**, *die Reiseverbindungen*
. . . . Ich habe meine Reiseverbindung ausgedruckt.

der **Halt**, *die Halts*
. . . . Es gibt zwei Halts auf der Reise.

die **IC-Fahrkarte**, *die IC-Fahrkarten*
. . . . Ich habe die IC-Fahrkarte im Portemonnaie.

Ü9a

hinfliegen, *er fliegt hin, er ist hingeflogen*
. . . . Wir fliegen am 25. Januar hin.

	zurückfliegen, er fliegt zurück, er ist zurückgeflogen	. . . .	Wir fliegen am 2. Februar zurück.
Ü10a die	**Minibar,** die Minibars	. . . .	Alle Zimmer haben einen Balkon und eine Minibar.
der	**Pool,** die Pools	. . . .	Zum Hotel gehört ein Pool.
der	**Tennisplatz,** die Tennisplätze	. . . .	Zum Hotel gehört ein Tennisplatz.
Ü11a der	**Strandurlaub,** die Strandurlaube	. . . .	Wir machen gerne Strandurlaub.
die	**Rundreise,** die Rundreisen	. . . .	Wir machen gerne Rundreisen.
Ü11c der	**Hotelurlaub,** die Hotelurlaube	. . . .	Tobi und Steffi machen gerne Hotelurlaub.
Ü13c	**zurückfahren,** er fährt zurück, er ist zurückgefahren	. . . .	Ich fahre in der ersten Klasse zurück nach Paris.
Ü14a der	**Kuss,** die Küsse	. . . .	Ich gebe Mia einen Kuss.
Ü16b der	**Blog,** die Blogs	. . . .	Lesen Sie den Blog und beantworten Sie die Fragen.
der	**Radfahrer,** die Radfahrer	. . . .	Ich treffe oft Radfahrer.

die	**Radfahrerin,** *die Radfahrerin-* *nen*	. . . .	Ich treffe oft Radfahrerinnen.
der	**Spaziergänger,** *die Spazier-* *gänger*	. . . .	Die meisten Spaziergänger sind sehr freundlich.
die	**Spaziergängerin,** *die Spazier-* *gängerinnen*	. . . .	Die meisten Spaziergängerinnen sind sehr freundlich.
das	**Zelt,** *die Zelte*	. . . .	Am Abend schlafen sie im Zelt.
der	**Hundeschlitten,** *die Hunde-* *schlitten*	. . . .	Ich fahre mit dem Hundeschlitten durch die Schweiz.
der	**Abenteuerurlaub,** *die Aben-* *teuerurlaube*	. . . .	Viele Menschen buchen einen Abenteuerurlaub.

Fit für Einheit 4? Testen Sie sich!

der	**Reisegegenstand,** *die Reisege-* *genstände*	. . . .	die Reisegegenstände aufschreiben
der	**Gegensatz,** *die Gegensätze*	. . . .	die Gegensätze auflisten

Station 1

1 Berufsbilder

1.1	der	**Übersetzer**, die Übersetzer	. . . .	Er arbeitet als Übersetzer.
	die	**Übersetzerin**, die Übersetzerinnen	. . . .	Sie arbeitet als Übersetzerin.
1.1a	der	**Sprachenservice**, die Sprachenservices	. . . .	Sie hat einen Sprachenservice gegründet.
1.1b	die	**Geschäftsidee**, die Geschäftsideen	. . . .	Dann hatte Frau Bachmann eine Geschäftsidee.
	der	**Auftrag**, die Aufträge	. . . .	Manchmal tauscht sie die Aufträge mit anderen Service-Büros.
	das	**Masterstudium**, die Masterstudien	. . . .	Vor zwei Jahren hat sie ihr Masterstudium abgeschlossen.
	der	**Integrationskurs**, die Integrationskurse	. . . .	Sie wollte als Lehrerin in Integrationskursen arbeiten.
	der	**Migrant**, die Migranten	. . . .	In Deutschland gibt es Integrationskurse für Migranten.

die **Migrantin**, die Migrantinnen . . . . In Deutschland gibt es Integrationskurse für Migrantinnen.

die **Übersetzung**, die Übersetzungen . . . . Sie bietet Übersetzungen in Russisch oder Spanisch an.

die **Masterarbeit**, die Masterarbeiten . . . . Sie korrigiert Masterarbeiten für Studenten an den Hochschulen.

die **Hochschule**, die Hochschulen . . . . Sie korrigiert Masterarbeiten für Studenten an den Hochschulen.

dabei . . . . Sie lernt dabei sehr viel.

die **Informationsbroschüre**, die Informationsbroschüren . . . . Manchmal schreibt sie Informationsbroschüren für eine Firma.

das **Text-Design**, die Text-Designs . . . . Das Text-Design macht ein Informatikstudent.

der **Informatikstudent**, die Informatikstudenten . . . . Das Text-Design macht ein Informatikstudent.

die **Informatikstudentin**, die Informatikstudentinnen . . . . Das Text-Design macht eine Informatikstudentin.

die **Rumänisch-Übersetzung**, die Rumänisch-Übersetzungen . . . . Es gibt auch Fragen nach Rumänisch-Übersetzungen.

die	**Lettisch-Übersetzung**, die Lettisch-Übersetzungen	Es gibt auch Fragen nach Lettisch-Übersetzungen.
das	**Service-Büro**, die Service-Büros	Manchmal tauscht sie die Aufträge mit anderen Service-Büros.
der	**Tausch**	Es gibt eine Internetseite für den Tausch.
der	**Wörterbuchauszug**, die Wörterbuchauszüge	Lesen Sie den Wörterbuchauszug.
die	**Sprachmittlung**, die Sprachmittlungen	Sprachmittlung heißt, dass man Informationen in eine andere Sprache übermittelt.
	übermitteln, er übermittelt, er hat übermittelt	Sprachmittlung heißt, dass man Informationen in eine andere Sprache übermittelt.
	dritt: zu dritt	Arbeiten Sie zu dritt.
der	**Institutsleiter**, die Institutsleiter	Der Institutsleiter spricht kein Deutsch.
die	**Institutsleiterin**, die Institutsleiterinnen	Die Institutsleiterin spricht kein Deutsch.
	fehlen: Was fehlt Ihnen?	Der Arzt fragt: „Was fehlt Ihnen?"

1.2 · 1.4 · 1.4a

1.4c

die **Auswertung**, die Auswertungen   . . . .   Machen Sie die Auswertung.

der **Sprachmittler**, die Sprachmittler   . . . .   Haben Sie Tipps für Sprachmittler?

die **Sprachmittlerin**, die Sprachmittlerinnen   . . . .   Haben Sie Tipps für Sprachmittlerinnen?

2 Wörter – Spiele – Training

2.2

das **Gedächtnisspiel**, die Gedächtnisspiele   . . . .   Die Gruppe macht ein Gedächtnisspiel.

2.2a

merken (sich), er merkt sich etw., er hat sich etw. gemerkt   . . . .   Er merkt sich so viele Gegenstände wie möglich.

2.2c

herkommen, er kommt her, er ist hergekommen   . . . .   Wo kommt die Person her?

2.3	die	**Selbstevaluation**, *die Selbstevaluationen*	. . . .	Machen Sie eine Selbstevaluation.
		männlich	. . . .	Der Vater ist männlich.
		weiblich	. . . .	Die Mutter ist weiblich.
2.4	der	**Wissenschaftler**, *die Wissenschaftler*	. . . .	Der Wissenschaftler sagt, lange schlafen macht schlank.
	die	**Wissenschaftlerin**, *die Wissenschaftlerinnen*	. . . .	Die Wissenschaftlerin sagt, lange schlafen macht schlank.
		schlank	. . . .	Lange schlafen macht schlank.
		abnehmen, *er nimmt ab, er hat abgenommen*	. . . .	Ich muss abnehmen.
	die	**Klimakatastrophe**, *die Klimakatastrophen*	. . . .	Die Zeitungen schreiben, die Klimakatastrophe kommt.
2.5	die	**Kursevaluation**, *die Kursevaluationen*	. . . .	Machen Sie eine Kursevaluation.
	das	**Text-Spiele**, *die Text-Spiele*	. . . .	Wir spielen jetzt ein Text-Spiel.

3 Filmstation

3.1

das **Simultan̲übersetzen** . . . . Die Studenten und Studentinnen studieren Simultanübersetzen.

das **Übersetzungsbüro,** *die Übersetzungsbüros* . . . . Die Studenten und Studentinnen arbeiten in einem Übersetzungsbüro.

die **Simultan̲übersetzung,** *die Simultanübersetzungen* . . . . Die Studenten und Studentinnen üben Simultanübersetzung an der Universität.

3.3

der **Simultan̲übersetzer,** *die Simultanübersetzer* . . . . Die Simultanübersetzer arbeiten zu zweit.

die **Simultan̲übersetzerin,** *die Simultanübersetzerinnen* . . . . Die Simultanübersetzerinnen arbeiten zu zweit.

anstrengend . . . . Das Übersetzen ist anstrengend.

3.5a

der **Haustausch** . . . . Sie machen einen Urlaub mit Haustausch.

3.5c

komplett . . . . Sehen Sie den Clip komplett.

der **Tauschpartner,** *die Tauschpartner* . . . . Sie haben einen Tauschpartner gefunden.

die **Tauschpartnerin,** *die Tauschpartnerinnen* . . . . Sie haben eine Tauschpartnerin gefunden.

| 3.5d | **beobachten,** er beobachtet, er hat beobachtet | . . . . | den Clip genau hören und beobachten |
| 3.6 | das **Skypetelefonat,** die Skypetelefonate | . . . . | Die Familien haben das erste Skypetelefonat. |

4 Magazin

	mehrsprachig	. . . .	Die meisten Europäer sind mehrsprachig.
die	**Wissenschaft,** die Wissenschaften	. . . .	Griechisch war die Sprache der Wissenschaft.
	antik	. . . .	Der Anfang der Kultur im modernen Europa liegt im antiken Griechenland.
die	**Lingua Franca**	. . . .	Latein war lange die Lingua Franca in der Wissenschaft.
der	**Theologe,** die Theologen	. . . .	Alle Theologen haben auf Lateinisch geschrieben.
die	**Theologin,** die Theologinnen	. . . .	Alle Theologinnen haben auf Lateinisch geschrieben.
der	**Philosoph,** die Philosophen	. . . .	Alle Philosophen haben auf Lateinisch geschrieben.

die	**Philosophin**, die Philoso-phinnen	. . . . . .	Alle Philosophinnen haben auf Lateinisch geschrieben.
die	**Medizin**	. . . . . .	In der Medizin ist Latein heute noch die Fachsprache.
die	**Fachsprache**, die Fachspra-chen	. . . . . .	In der Medizin ist Latein heute noch die Fachsprache.
	damals	. . . . . .	Die meisten Schüler haben damals Latein gelernt.
	während	. . . . . .	Während der Antike war Griechisch die Sprache der Wissenschaft.
die	**Kolonialzeit**	. . . . . .	Während der Kolonialzeit sind viele europäische Sprachen ausgewandert.
	auswandern, er wandert aus, er ist ausgewandert	. . . . . .	Viele europäische Sprachen sind ins Ausland ausgewandert.
die	**Aristokratie**, die Aristokratien	. . . . . .	Im 17. Jahrhundert war Französisch die Sprache der Aristokratie.
die	**Arbeitssprache**, die Arbeits-sprachen	. . . . . .	Englisch ist die wichtigste Arbeitssprache der Europäischen Kommission.
die	**Europäische Kommission**	. . . . . .	Englisch ist die wichtigste Arbeitssprache der Europäischen Kommission.

Osteuropa . . . . In Osteuropa war Russisch die erste Fremdsprache.

Mitteleuropa . . . . In Mitteleuropa war Russisch die erste Fremdsprache.

Westeuropa . . . . In Westeuropa war Englisch die erste Fremdsprache.

Südeuropa . . . . Junge Menschen in Südeuropa lernen heute mehr Deutsch als früher.

Südosteuropa . . . . Junge Menschen in Südosteuropa lernen heute mehr Deutsch als früher.

deutschsprachig . . . . Österreich ist ein deutschsprachiges Land.

der **Arbeitsmarkt, die Arbeitsmärkte** . . . . Die Schweiz ist ein attraktiver Arbeitsmarkt.

die **Lernhilfe, die Lernhilfen** . . . . Ist Englisch ein Problem oder eine Lernhilfe?

pro . . . . Es gibt bei allen Themen pro und contra.

contra . . . . Es gibt bei allen Themen pro und contra.

das **Denglisch** . . . . Schluss mit Denglisch!

verändern (sich), er verändert sich, er hat sich verändert . . . . Sprachen leben und verändern sich.

skandinavisch	. . . .	Die skandinavischen Sprachen nehmen schnell englische Wörter auf.
aufnehmen, *er nimmt auf, er hat aufgenommen*	. . . .	Die skandinavischen Sprachen nehmen schnell englische Wörter auf.
der **Lerner**, *die Lerner*	. . . .	Das ist ein Vorteil für Lerner.
die **Lernerin**, *die Lernerinnen*	. . . .	Das ist ein Vorteil für Lernerinnen.
überall	. . . .	Überall in Deutschland findet man englische Wörter.
der **Imbiss**, *die Imbisse*	. . . .	Warum muss ein Imbiss „Snack Point" heißen?
der **Schuster**, *die Schuster*	. . . .	Warum muss ein Schuster „Mister Minit" heißen?
die **Schusterin**, *die Schusterinnen*	. . . .	Sie arbeitet als Schusterin.
zerstören, *er zerstört, er hat zerstört*	. . . .	Die Sprache zerstört andere Sprachen.
aussprechen, *er spricht aus, er hat ausgesprochen*	. . . .	Man weiß nie, wie man diese Wörter aussprechen soll.
die **Überschrift**, *die Überschriften*	. . . .	Man kann neue Überschriften finden.

4 Freizeit und Hobby

herausfinden, er findet heraus, er hat herausgefunden	. . . .	Man kann herausfinden, worum es geht.

4 Freizeit und Hobby

	positiv	. . . .	Er reagiert positiv auf die Idee.
	negativ	. . . .	Er reagiert negativ auf die Idee.
	ausdrücken, er drückt aus, er hat ausgedrückt	. . . .	Er kann seine Emotionen gut ausdrücken.
der	**Basketball**, die Basketbälle	. . . .	Ich spiele Basketball.
die	**Taucherbrille**, die Taucherbrillen	. . . .	Für das Schwimmen benutze ich eine Taucherbrille.
die	**Querflöte**, die Querflöten	. . . .	Er spielt Querflöte.
die	**Acrylfarbe**, die Acrylfarben	. . . .	Er malt gerne mit Acrylfarben.

der	**Pinsel**, *die Pinsel*	. . . .	Zum Malen braucht er einen Pinsel.
der	**Kopfhörer**, *die Kopfhörer*	. . . .	Er hat Kopfhörer auf.
der	**Skihelm**, *die Skihelme*	. . . .	Beim Skifahren trägt er einen Skihelm.
der	**Tennisschläger**, *die Tennis-schläger*	. . . .	Für diesen Sport braucht man einen Tennisschläger.
der	**Notenständer**, *die Notenstän-der*	. . . .	In ihrem Zimmer steht ein Notenständer.
der	**Ballettschuh**, *die Ballettschuhe*	. . . .	Beim Tanzen trägt sie Ballettschuhe.
die	**Angel**, *die Angeln*	. . . .	In den Urlaub nimmt sie ihre Angel mit.

Hobbys

der	**Marathon**, *die Marathons*	. . . .	Frank läuft Marathon.
	reiten, *er reitet, er ist geritten*	. . . .	Er reitet gerne.
	wandern, *er wandert, er ist gewandert*	. . . .	Jens und Ulrike wandern viel.

	heimwerken, *er heimwerkt, er hat geheimwerkt*	. . . .	Ulrike heimwerkt in ihrer Freizeit.
1.3	die	**Lesestrategie**, *die Lesestrategien*	. . . .	Texte durch Zahlen verstehen ist eine gute Lesestrategie.
1.3a	die	**Zeitungsmeldung**, *die Zeitungsmeldungen*	. . . .	Lesen Sie die Überschriften der Zeitungsmeldungen.
	der	**Branchenreport**, *die Branchenreports*	. . . .	Der Branchenreport meldet aktuelle Zahlen.
	der	**Sportverband**, *die Sportverbände*	. . . .	Fitness-Studios haben mehr Mitglieder als der größte Sportverband.
	der	**Fitness-Fan**, *die Fitness-Fans*	. . . .	Die Fitness-Fans haben zwei Ziele.
	die	**Form (etw. in Form bringen)**, *er bringt etw. in Form, er hat etw. in Form gebracht*	. . . .	Fitness-Fans wollen den Körper in Form bringen.
	die	**Fitness**	. . . .	Fitness-Fans wollen die Fitness verbessern.
		verbessern, *er verbessert, er hat verbessert*	. . . .	Fitness-Fans wollen die Fitness verbessern.
		sicher	. . . .	Das ist für die Gesundheit sicher nicht zu teuer.

der	**Zermatt-Marathon**	. . . .	Er ist Sieger im 11. Zermatt-Marathon.
	kenianisch	. . . .	Das ist der erste kenianische Sieg.
der	**Sieg**, *die Siege*	. . . .	Das ist der erste kenianische Sieg.
der	**Streckenrekord**, *die Strecken-rekorde*	. . . .	Das ist neuer Streckenrekord.
der	**Schweizer**, *die Schweizer*	. . . .	Der Schweizer ist Sieger im 11. Zermatt-Marathon.
die	**Schweizerin**, *die Schweize-rinnen*	. . . .	Die Schweizerin ist Siegerin im 11. Zermatt-Marathon.
der	**Sieger**, *die Sieger*	. . . .	Paul ist Sieger im 11. Zermatt-Marathon.
die	**Siegerin**, *die Siegerinnen*	. . . .	Daniela ist Siegerin im 11. Zermatt-Marathon.
die	**Strecke**, *die Strecken*	. . . .	Für die Strecke brauchte Daniela 3:29 Stunden.
	insgesamt	. . . .	Insgesamt waren 1200 Läufer und Läuferinnen am Start.
der	**Läufer**, *die Läufer*	. . . .	Es waren 800 Läufer am Start.
die	**Läuferin**, *die Läuferinnen*	. . . .	Es waren 400 Läuferinnen am Start.
der	**Marathonlauf**, *die Marathon-läufe*	. . . .	Der Zermatt-Marathon ist der schönste Marathonlauf in Europa.

1.3b	die	**Meldung**, die Meldungen	. . . .	Lesen Sie eine der beiden Meldungen.
1.4	die	**Hard-Rock-Band**, die Hard-Rock-Bands	. . . .	Ich spiele Gitarre in einer Hard-Rock-Band.
	die	**Band**, die Bands	. . . .	Ich spiele Gitarre in einer Band.
	die	**Briefmarke**, die Briefmarken	. . . .	Ich sammle Briefmarken.

2 Freizeit und Forschung

2.1	die	**Zukunftsfragen** (Pl.)	. . . .	Die Stiftung für Zukunftsfragen forscht nach.
		nachforschen, er forscht nach, er hat nachgeforscht	. . . .	Die Stiftung für Zukunftsfragen forscht nach.
2.1a	der	**Newsletter-Text**, die Newsletter-Texte	. . . .	Lesen Sie den Newsletter-Text.
	die	**Forschung**	. . . .	Die Stiftung präsentiert aktuelle Forschung.
		aktuell	. . . .	Die Stiftung präsentiert aktuelle Forschung.
	der	**Freizeit-Monitor**	. . . .	Die Stiftung stellt ihren Freizeit-Monitor vor.
	die	**Nummer**, die Nummern	. . . .	Fernsehen bleibt die Nummer eins.

die	**Stiftung**, *die Stiftungen*	. . . .	Die Stiftung stellt in Berlin ihren Freizeit-Monitor vor.
	vorstellen, er stellt vor, er hat vorgestellt	. . . .	Die Stiftung stellt ihren Freizeit-Monitor vor.
	teilnehmen (an etw.), er nimmt an etw. teil, er hat an etw. teilgenommen	. . . .	Über 4.000 Personen haben an der Studie teilgenommen.
die	**Studie**, *die Studien*	. . . .	Über 4.000 Personen haben an der Studie teilgenommen.
die	**Freizeitaktivität**, *die Freizeitaktivitäten*	. . . .	Fernsehen und Radiohören sind die beliebtesten Freizeitaktivitäten.
der	**Bundesbürger**, *die Bundesbürger*	. . . .	98% der Bundesbürger sehen regelmäßig fern.
die	**Bundesbürgerin**, *die Bundesbürgerinnen*	. . . .	Viele Bundesbürgerinnen sehen regelmäßig fern.
	regelmäßig	. . . .	98 % der Bundesbürger sehen regelmäßig fern.
	unterhalten (sich), sie unterhalten sich, sie haben sich unterhalten	. . . .	Sie wollen sich am Abend vor dem Fernseher unterhalten.

	elektronisch	Sehr beliebt sind auch die elektronischen Freizeitmedien.
das	**Freizeitmedium**, die Freizeit-medien	Sehr beliebt sind auch die elektronischen Freizeitmedien.
das	**Computerspiel**, die Compu-terspiele	Computerspiele sind sehr beliebt.
das	**Internet**	Das Internet ist sehr beliebt.
der	**Alltag**	Der Alltag ist stressig.
	stressig	Der Alltag ist stressig.
	ausschlafen, er schläft aus, er hat ausgeschlafen	Die Leute wollen ausschlafen.
die	*Erholung*	Die Leute wünschen sich mehr Zeit zur Erholung.
	sozial	Die Leute wünschen sich mehr Zeit für soziale Kontakte.
	hektisch	In der hektischen Medienwelt nimmt der Wunsch nach Ruhe zu.
die	*Medienwelt*	In der hektischen Medienwelt nimmt der Wunsch nach Ruhe zu.

die	**Wellness**	. . . .	Wellness ist im Trend.
	fortsetzen (sich), *er setzt sich fort, er hat sich fortgesetzt*	. . . .	Ein Trend setzt sich fort.
	auf der einen Seite ... auf der anderen Seite	. . . .	Auf der einen Seite gibt es mehr Freizeitangebote, auf der anderen Seite müssen die Menschen aber sparen.
das	**Freizeitangebot**, *die Freizeitangebote*	. . . .	Es gibt mehr Freizeitangebote.
	sparen, *er spart, er hat gespart*	. . . .	Die Menschen müssen sparen.
das	**Schwimmbad**, *die Schwimmbäder*	. . . .	Immer mehr Deutsche gehen lieber ins Schwimmbad als in den Aquapark.
der	**Aquapark**, *die Aquaparks*	. . . .	Immer mehr Deutsche gehen lieber ins Schwimmbad als in den Aquapark.
das	**Freizeitvergnügen**		Freizeitvergnügen muss nicht immer Geld kosten.
das	**Interesse**, *die Interessen*		über Hobbys und Interessen sprechen
	gern: am liebsten		Ich gehe am liebsten schwimmen.
die	**Politik**		Ich interessiere mich für Politik.

2.5a

umziehen (sich), er zieht sich um, er hat sich umgezogen .... Danach ziehe ich mich um.

nach Hause .... Abends fahre ich nach Hause.

schminken (sich) sie schminkt sich, sie hat sich geschminkt .... Vor dem Ausgehen schminkt sie sich.

rasieren (sich), er rasiert sich, er hat sich rasiert .... Vor dem Ausgehen rasiert er sich.

eincremen (sich), er cremt sich ein, er hat sich eingecremt .... Nach dem Duschen cremt er sich ein.

abtrocknen (sich), er trocknet sich ab, er hat sich abgetrocknet .... Nach dem Duschen trocknet sie sich ab.

2.6 **reflexiv** .... Lernen Sie die reflexiven Verben mit Präpositionen.

2.6a das **Gehirn**, die Gehirne .... Das Gehirn liebt Paare.

2.7 **surfen**, er surft, er ist gesurft .... Surfen ist gesund, aber teuer.

ungesund .... Computerspiele sind ungesund und teuer.

3

3.1

Leute kennenlernen? Im Verein!

das	**Ver<u>ei</u>nsleben**	. . . .	Wir sprechen über das Vereinsleben.
das	**L<u>o</u>go**, *die Logos*	. . . .	Sehen Sie die Logos an.
der	**Ver<u>ei</u>n**, *die Vereine*	. . . .	In Vereinen lernt man schnell Leute kennen.
	betr<u>ei</u>ben, *er betreibt, er hat betreiben*	. . . .	Die Mitglieder betreiben ihr Hobby.
das	**F<u>e</u>st**, *die Feste*	. . . .	Sie feiern auch Feste zusammen.
	renov<u>ie</u>ren, *er renoviert, er hat renoviert*	. . . .	Die Mitglieder renovieren das Vereinsheim.
der	**K<u>a</u>rneval**	. . . .	Die Mitglieder im Karnevalsverein feiern gerne Karneval.

3.1

der	**R<u>ei</u>tverein**, *die Reitvereine*	. . . .	Ich möchte in einen Reitverein gehen.
der	**T<u>e</u>nnisverein**, *die Tennisvereine*	. . . .	Ich möchte in einen Tennisverein gehen.
der	**W<u>a</u>nderverein**, *die Wandervereine*	. . . .	Ich möchte in einen Wanderverein gehen.
der	**Sp<u>o</u>rtclub**, *die Sportclubs*	. . . .	Geh doch in den Sportclub.

der **Kunstverein**, *die Kunstvereine*	Er möchte in einen Kunstverein gehen.
malen, er malt, er hat gemalt	Ich male gern.
der **Auto-Fan**, *die Auto-Fans*	Ich bin ein Auto-Fan.
der **Gesangsverein**, *die Gesangs-vereine*	Arbeiter haben in Deutschland Gesangsvereine gegründet.
der **Turnverein**, *die Turnvereine*	Im 19. Jahrhundert haben Arbeiter Turnvereine gegründet.
gründen, *er gründet, er hat gegründet*	Im 19. Jahrhundert haben Arbeiter Turnvereine gegründet.
politisch	Politische Vereine waren verboten.
verbieten, *er verbietet, er hat verboten*	Politische Vereine waren verboten.
engagieren (sich), *er engagiert sich, er hat sich engagiert*	In Vereinen engagieren sich nicht nur Sportler.
der **Interessenverein**, *die Interes-senvereine*	Es gibt auch Interessenvereine.
der **Kaninchenzüchter**, *die Kanin-chenzüchter*	Es gibt auch Interessenvereine, z. B. für Kaninchenzüchter.

die	**Kaninchenzüchterin**, *die Kaninchenzüchterinnen*	. . . .	Es gibt auch Interessenvereine, z. B. für Kaninchenzüchterinnen.
der	**Naturschützer**, *die Naturschützer*	. . . .	Es gibt auch Interessenvereine, z. B. für Naturschützer.
die	**Naturschützerin**, *die Naturschützerinnen*	. . . .	Es gibt auch Interessenvereine, z. B. für Naturschützerinnen.
der	**E̱inwohner**, die Einwohner	. . . .	Im Dorf gibt es 1700 Einwohner und Einwohnerinnen.
die	**E̱inwohnerin**, die Einwohnerinnen	. . . .	Im Dorf gibt es 1700 Einwohner und Einwohnerinnen.
	mindestens	. . . .	Alle aus der Familie waren in mindestens zwei Vereinen.
der	**Tischtennisverein**, *die Tischtennisvereine*	. . . .	Der Sohn war im Tischtennisverein.
das	**Tischtennis**	. . . .	Der Sohn spielt gerne Tischtennis.
der	**Radsportclub**, *die Radsportclubs*	. . . .	Der Vater war bei der Feuerwehr und im Radsportclub.
der	**Radsport**	. . . .	Der Vater macht gerne Radsport.

der	**Gartenbauverein**, die Garten-bauvereine	Der Opa war im Gartenbauverein.
der	**Gartenbau**	Der Opa interessiert sich für Gartenbau.
der	**Kaninchenzuchtverein**, die Kaninchenzuchtvereine	Der Opa war im Kaninchenzuchtverein.
die	**Kaninchenzucht**	Der Opa interessiert sich für Kaninchenzucht.
	verbringen, er verbringt, er hat verbracht	Sie haben viel Zeit mit den Leuten im Verein verbracht.
	niemand	Oft war abends niemand zu Hause.
das	**Reitturnier**, die Reitturniere	Gehe ich mit zum Reitturnier oder zum Radrennen?
das	**Turnier**, die Turniere	Am Wochenende findet ein Turnier statt.
das	**Chorsingen**	Gehe ich mit zum Chorsingen?
das	**Radrennen**, die Radrennen	Gehe ich mit zum Radrennen?
	kümmern (sich um etw./ jmdn.), er kümmert sich, er hat sich gekümmert	Viele kümmern sich nach der Arbeit mehr um die Familie.
	vereinsverrückt	Ich glaube, die Deutschen sind vereinsverrückt.

das	**Billard**	Als ich in Deutschland war, habe ich Billard im Pool-Billard-Club gespielt.
der	**Pool-Billard-Club,** die Pool-Billard-Clubs	Als ich in Deutschland war, habe ich Billard im Pool-Billard-Club gespielt.
der	**Sportverein,** die Sportvereine	Im Sportverein gab's Jazz-Tanz.
der	**Jazz-Tanz**	Im Sportverein gab's Jazz-Tanz.

4 Das (fast) perfekte Wochenende

4.1

der	**Montagmorgen**	Am Montagmorgen reden alle über das Wochenende.

4.1a

das	**Ende:** zu Ende	Ich habe mein Buch zu Ende gelesen.
das	**Spiel,** die Spiele	Wir haben das Spiel gegen den FC Schwabhausen verloren.
	wütend	Mann, war ich wütend.
	hey	Hey Peter!
	putzen, er putzt, er hat geputzt	Andreas hat die Wohnung geputzt.

4.1b

die	*Reaktion, die Reaktionen*	Das ist eine positive Reaktion.
	fu̱rchtbar	Das Spiel war furchtbar.
die	**Katastro̱phe,** die Katastrophen	Das Spiel war eine Katastrophe.
	wieso̱	Wieso das denn?
	erzählen, er erzählt, er hat erzählt	Erzähl mal!
	e̱cht	Echt, war das wirklich so schlimm?
	pe̱inlich	Die Niederlage war peinlich.
	geben (*Das gibt's doch gar nicht!*)	Das gibt's doch gar nicht!
der	*Biergarten, die Biergärten*	Wir waren in der Frauenkirche und im Biergarten.
	vorstellen (*sich etw.*), er stellt sich etw. vor, er hat sich etw. vorgestellt	Das kann ich mir vorstellen.

4.2

die	*Emotion, die Emotionen*	Es gibt viele verschiedene Emotionen.
	traurig	Wenn ich traurig bin, weine ich manchmal.

aufgeregt	. . . . .	An meinem Geburtstag bin ich immer sehr aufgeregt.
gelangweilt	. . . . .	Ich war sehr gelangweilt bei dem Film.
erfreut	. . . . .	Ich bin sehr erfreut, Sie kennenzulernen.
reden, er redet, er hat geredet	. . . . .	Wir reden.
ständig	. . . . .	Er redet ständig.
wovon	. . . . .	Wovon redet er?
nichts	. . . . .	Er redet von nichts.
4.3	der **Ausruf**, die Ausrufe	. . . . .	Setzen Sie die passenden Ausrufe ein.
4.3a	die **Spinne**, die Spinnen	. . . . .	In meinem Bett ist eine Spinne.
	das **Lotto**	. . . . .	Wir haben im Lotto gewonnen.
	gewinnen, er gewinnt, er hat gewonnen	. . . . .	Wir haben im Lotto gewonnen.
4.3b	die **Lösung**, die Lösungen	. . . . .	Kontrollieren Sie die Lösung.
4.4	das **Japanisch**	. . . . .	Das ist ein Ausruf auf Japanisch.
4.5	das **Amt**, die Ämter	. . . . .	Ich ärgere mich oft über die Ämter.

aufregen (sich), er regt sich auf, er hat sich aufgeregt
. . . . Ich rege mich manchmal über die Bahn auf.

Ü Übungen

Ü2a die **Marathon-Zeit**, die Marathon-Zeiten
. . . . Die beste Marathon-Zeit von Ulf war 2:40 Stunden.

fit (sich fit halten)
. . . . Mit Zumba kann man sich fit halten.

Ü5 die **Newsletter-Information**, die Newsletter-Informationen
. . . . Fassen Sie die Newsletter-Informationen zusammen.

zusammenfassen (etw.), er fasst etw. zusammen, er hat etw. zusammengefasst
. . . . Er fasst die Informationen zusammen.

die **Gartenarbeit**, die Gartenarbeiten
. . . . Gegen Stress hilft auch Gartenarbeit.

Ü6a die **Zeitschrift**, die Zeitschriften
. . . . Jovan liest oft Zeitschriften.

Ü12a die **Tanzkleidung**
. . . . Unsere Tanzkleidung hat die Farben der Stadt Köln.

entlanggfahren, er fährt entlang, er ist entlanggefahren

aus (aus sein)

zuhören, er hört zu, er hat zugehört

. . . .	Wir sind mit dem Fahrrad an der Donau entlanggefahren.
. . . .	Mist, mein Handy ist aus.
. . . .	Manchmal hören die Kinder nicht zu.

5 Medien im Alltag

die	**Mitteilung**, die Mitteilungen	. . . . Schreiben Sie eine kurze Mitteilung.
die	**Zeitung**, die Zeitungen	. . . . Er liest morgens immer die Zeitung.
das	**Grammophon**, die Grammophone	. . . . Im Wohnzimmer steht ein Grammophon.
die	**Schallplatte**, die Schallplatten	. . . . Mein Vater hat noch viele Schallplatten.
	ägyptisch	. . . . Ägyptische Hieroglyphen sind eine alte Schrift.
die	**Hieroglyphe**, die Hieroglyphen	. . . . Ägyptische Hieroglyphen sind eine alte Schrift.

Ü18a
Ü19a

die	**Digitalkamera**, die Digital-kameras	Susanne fotografiert mit einer Digitalkamera.
das	*Notebook*, die Notebooks	Auf dem Schreibtisch steht ein Notebook.
die	**Social Media Plattform**, *die Social Media Plattformen*	Facebook und Twitter sind Social Media Plattformen.
	bearbeiten, *er bearbeitet, er hat bearbeitet*	Er bearbeitet Fotos am Computer.
das	*MP3*, *die MP3s*	Man kann MP3s aus dem Internet downloaden.
	downloaden, *er loadet etw. down, er hat etw. downge-loadet*	Man kann MP3s aus dem Internet downloaden.
die	**App** (*Application*), *die Apps*	Er kauft Apps für sein Smartphone.
das	*Telefonat*, die Telefonate	Bei der Arbeit führt sie viele Telefonate.
	führen (*ein Telefonat führen*), *er führt ein Telefonat, er hat ein Telefonat geführt*	Bei der Arbeit führt sie viele Telefonate.
	ausleihen, *er leiht etw. aus, er hat etw. ausgeliehen*	Im Internet kann man auch Filme ausleihen.

1 „Alte" Medien – „neue" Medien

1.2

chatten, er chattet, er hat
gechattet

. . . .   Mit dem Computer chatte ich oft.

2 Medien im Alltag

2.1a

der **Ratgebertext**, *die Ratgeber-*
texte

. . . .   Lesen Sie den Ratgebertext.

die **Manteltasche**, *die Mantel-*
taschen

. . . .   Er steckt den Brief in die Manteltasche.

der **Umschlag**, *die Umschläge*

. . . .   Er steckt den Brief in den Umschlag.

die **Adresse**, *die Adressen*

. . . .   Er schreibt die Adresse auf den Umschlag.

der **Briefkasten**, *die Briefkästen*

. . . .   Sie laufen an zwei Briefkästen vorbei.

der **Absender**, *die Absender*

. . . .   Er schreibt den Absender auf den Umschlag.

die **Absenderin**, *die Absende-*
rinnen

. . . .   Er schreibt die Absenderin auf den Umschlag.

stecken, er steckt, er hat
gesteckt

. . . .   Er steckt den Brief in die Manteltasche.

die	**Post**	Sie laufen an der Post am Bahnhof vorbei.
die	**unangenehm**	Der Brief war unangenehm.
die	**Antwort,** die Antworten	Seine Antwort: Weil wir sie vergessen wollen.
das	**Vergessen**	Wir kennen den Grund für das Vergessen nicht.
	kleben, er klebt, er hat geklebt	Er klebt die Briefmarke auf den Umschlag.

2.1b

	aufkleben, *er klebt auf, er hat aufgeklebt*	Er klebt die Briefmarke auf den Umschlag.
	vorbeilaufen *(an etw.), er läuft an etw. vorbei, er ist an etw. vorbeigelaufen*	Er läuft an der Post am Bahnhof vorbei.
	ausziehen (etw.), *er zieht (etw.) aus, er hat (etw.) ausgezogen*	Abends zieht er den Mantel aus.
	einwerfen, er wirft ein, er hat eingeworfen	Er hat den Brief nicht eingeworfen.

2.3

die	**Telefonnummer,** die Telefonnummern	Ich habe schon oft eine Telefonnummer vergessen.

das	**Passwort,** die Passwörter	. . . .	Ich kann mir das Passwort nicht merken.
die	**Grafik,** die Grafiken	. . . .	Lesen Sie die Grafik.
die	**Funktion,** die Funktionen	. . . .	Welche Funktionen deines Smartphones nutzt du täglich?
	nutzen, er nutzt, er hat genutzt	. . . .	Er nutzt viele Funktionen seines Smartphones täglich.
	mehrmals	. . . .	Welche Funktionen deines Smartphones nutzt du mehrmals die Woche?
die	**SMS,** die SMS	. . . .	Er schreibt eine SMS.
	schicken, er schickt, er hat geschickt	. . . .	Ich schicke täglich viele SMS.
	werden, er wird, er wurde	. . . .	Er wurde mehrmals am Tag angerufen.
die	**Weckfunktion,** die Weckfunktionen	. . . .	Die Weckfunktion brauche ich nicht.
die	**Community,** die Communitys	. . . .	Ich nutze Communities über mein Handy.
die	**Kalenderfunktion,** die Kalenderfunktionen	. . . .	Die Kalenderfunktion nutze ich manchmal.
das	**Handyspiel, die Handyspiele**	. . . .	Ich spiele keine Handyspiele.

2.4a

die	**Servicemeldung**, *die Service-meldungen*	Ich rufe selten Servicemeldungen mit dem Handy ab.
der	**Verkehr**	Über mein Handy erhalte ich Meldungen über den Verkehr.
	abrufen, *er ruft ab, er hat abgerufen*	Ich rufe selten Servicemeldungen mit dem Handy ab.
das	**Video**, *die Videos*	Ich gucke Videos im Internet an.
	verschicken, *er verschickt, er hat verschickt*	Ich verschicke keine E-Mails.
der	**Newsticker**, *die Newsticker*	Ich bekomme einen Newsticker über das Handy.
das	**Navigationssystem**, *die Navi-gationssysteme*	Ich nutze mein Handy als Navigationssystem.
	simsen, *er simst, er hat gesimst*	Eine SMS schreiben heißt jetzt simsen.
der	**Arbeitskollege**, *die Arbeits-kollegen*	Er will sich mit seinem Arbeitskollegen treffen.
die	**Arbeitskollegin**, *die Arbeits-kolleginnen*	Er will sich mit seiner Arbeitskollegin treffen.

2.4b

	besprechen (etw. mit jmdm.), er bespricht etw., er hat etw. besprochen	. . . .	Er will etwas mit seinem Arbeitskollegen besprechen.
der	**Schatz**, die Schätze (hier: Kosename)	. . . .	Um 8 am Kino, Schatz?
der	**Vorschlag**, die Vorschläge	. . . .	Ich habe einen guten Vorschlag.
die	**Erinnerung**, die Erinnerungen	. . . .	Ich habe dir einen Erinnerung geschrieben.
der	**Abschied**, die Abschiede	. . . .	Der Abschied war sehr traurig.
	Bis gleich!	. . . .	Tschüss, bis gleich!
	nachher (Bis nachher!)	. . . .	Tschüss, bis nachher!
	halten, er hält, er hat gehalten	. . . .	Sie hält seine Hand.

3 Unterwegs im Internet

3.1

| die | **Stelle**, die Stellen | . . . . | An zweiter Stelle folgt die Unterhaltungselektronik. |
| die | **Unterhaltungselektronik** | . . . . | An zweiter Stelle folgt die Unterhaltungselektronik. |

die	**Videokamera**, die Video-kameras	Videokameras werden häufig online gekauft.
	häufig	Videokameras werden häufig online gekauft.
der	*Laden, die Läden*	Digitalkameras werden auch häufig im Laden gekauft.
die	**Bestellung**, die Bestellungen	In Deutschland werden viele Bestellungen im Internet gemacht.
der	*Internetkäufer, die Internet-käufer*	Die Bestellung von Reisen ist bei Internetkäufern beliebt.
die	*Internetkäuferin, die Internet-käuferinnen*	Die Bestellung von Reisen ist bei Internetkäuferinnen beliebt.
der	**Computernutzer**, *die Compu-ternutzer*	Fast die Hälfte der Computernutzer informiert sich im Internet.
die	**Computernutzerin**, *die Com-puternutzerinnen*	Fast die Hälfte der Computernutzerinnen informiert sich im Internet.
	passend	Die Computernutzer suchen nach passenden Reiseangeboten.
das	*Reiseangebot, die Reiseange-bote*	Die Computernutzer suchen nach passenden Reiseangeboten.

die	**Kreditkartennummer,** *die Kreditkartennummern*	Ist die Kreditkartennummer im Netz wirklich sicher?
das	**Netz**	Ist die Kreditkartennummer im Netz wirklich sicher?
	hauptsächlich	Was kaufen Sie hauptsächlich im Internet ein?
	elektrisch	Ich kaufe elektrische Haushaltsgeräte im Internet.
das	**Haushaltsgerät,** *die Haushaltsgeräte*	Ich kaufe elektrische Haushaltsgeräte im Internet.
die	**Kleidung**	Viele Menschen kaufen Kleidung im Internet.
das	**Accessoire,** *die Accessoires*	Viele Menschen kaufen Accessoires im Internet.
die	**Hotelübernachtung,** *die Hotelübernachtungen*	Ich buche manchmal Hotelübernachtungen im Internet.
die	**Eintrittskarte,** *die Eintrittskarten*	Ich kaufe Eintrittskarten im Internet.
die	**Konzertkarte,** *die Konzertkarten*	Ich kaufe Konzertkarten im Internet.
die	**Kosmetik,** *die Kosmetika*	Meine Schwester bestellt Kosmetik im Internet.

der	**Toilettenartikel**, *die Toilettenartikel*	. . . .	Meine Schwester bestellt auch Toilettenartikel im Internet.
das	**Möbel**, *die Möbel*	. . . .	7,9 % der Deutschen kaufen Möbel im Internet.
die	**Deko (Dekoration)**, *die Dekos*	. . . .	7,9 % der Deutschen kaufen Deko im Internet.
das	**Lebensmittel**, *die Lebensmittel*	. . . .	Nur 3,7 % der Deutschen kaufen Lebensmittel im Internet.

3.2

das	**Interview**, *die Interviews*	. . . .	Hören Sie die drei Interviews und ordnen Sie zu.
der	**Interviewpartner**, *die Interviewpartner*	. . . .	Der Interviewpartner hat einen Flug gebucht.
die	**Interviewpartnerin**, *die Interviewpartnerinnen*	. . . .	Die Interviewpartnerin hat einen Flug gebucht.
der	**Informatiker**, *die Informatiker*	. . . .	Der Informatiker bestellt oft Software im Internet.
die	**Informatikerin**, *die Informatikerinnen*	. . . .	Die Informatikerin bestellt oft Software im Internet.
das	**Online-Einkaufen**	. . . .	Die Interviewpartnerin findet Online-Einkaufen praktisch.
	praktisch	. . . .	Die Interviewpartnerin findet Online-Einkaufen praktisch.

die	**Buchung**, die Buchungen	. . . .	Er hatte Probleme mit einer Buchung im Internet.
die	**Definition**, die Definitionen	. . . .	die Definitionen lesen
das	**Skype**	. . . .	Er hat mit Skype telefoniert.
	per	. . . .	Sie sagt per Klick, dass sie etwas mag.
der	**Klick**, die Klicks	. . . .	Sie sagt per Klick, dass sie etwas mag.
das	**Internetforum**, die Internet-foren	. . . .	Er schreibt eine Nachricht in einem Internetforum.
	mailen, er mailt, er hat gemailt	. . . .	Er mailt seiner Freundin.
	googeln, er googelt, er hat gegoogelt	. . . .	Sie googelt eine Frage.
	posten, er postet, er hat gepo-stet	. . . .	Er postet ein Video bei Facebook.
	liken, er likt, er hat gelikt	. . . .	Sie liked sein Video bei Facebook.
	bloggen, er bloggt, er hat gebloggt	. . . .	Er hat über die Veranstaltung gebloggt.
	skypen, er skypt, er hat geskypt	. . . .	Sie skypt viel mit ihrem Freund im Ausland.

4 Wie bitte? Was hast du gesagt?

4.1

herunterladen, *er lädt herun-* .... Hast du die Software heruntergeladen?
ter, er hat heruntergeladen

das **Internet-Café**, *die Internet-* .... Kommst du um drei ins Internet-Café?
Cafés

die **indirekte Frage**, *die indirekten* .... eine indirekte Frage stellen
Fragen

4.2

die **Mailbox**, *die Mailboxen* .... Wann hast du die Mailbox abgefragt?

abfragen, *er fragt ab, er hat* .... Wann hast du die Mailbox abgefragt?
abgefragt

4.3b

die **Datei**, *die Dateien* .... Hast du die Datei gelöscht?

löschen, *er löscht, er hat* .... Hast du die Datei gelöscht?
gelöscht

speichern, *er speichert, er* .... Wo hast du den Text gespeichert?
hat gespeichert

weiterleiten, *er leitet weiter, er* .... An wen hast du die Email weitergeleitet?
hat weitergeleitet

drucken, er druckt, er hat
gedruckt .... Kannst du den Text drucken?

eben .... Wer hat eben angerufen?

abnehmen (etw.), er nimmt
etw. ab, er hat etw. abge-
nommen .... Kannst du bitte die Kopfhörer abnehmen?

5 Schnäppchenjagd

die **Schnäppchenjagd,** die
Schnäppchenjagden .... Er geht bei eBay auf Schnäppchenjagd.

5.1

der **Online-Marktplatz,** die
Online-Marktplätze .... eBay ist weltweit der größte Online-Marktplatz.

gebraucht .... Dort kann man neue oder gebrauchte Sachen
kaufen.

das **Schnäppchen,** die Schnäpp-
chen .... Bei eBay kann man nach Schnäppchen suchen.

die **eBay-Seite,** die eBay-Seiten .... Seit 1999 gibt es eBay-Seiten auf Deutsch.

die	**Kunst**	. . . .	Man findet dort zum Beispiel Kunst.
	modisch	. . . .	Man findet dort zum Beispiel modische Kleidung.
der	**Schmuck**	. . . .	Man findet dort zum Beispiel teuren Schmuck.
5.2 das	**Kochbuch**, die Kochbücher	. . . .	Mein Bruder kauft oft interessante Kochbücher.
5.3 die	**Reklamation**, die Reklama-tionen	. . . .	Ich möchte eine Reklamation machen.
5.3b	**reklamieren**, er reklamiert, er hat reklamiert	. . . .	Ich möchte die Kuckucksuhr reklamieren.
der	**Kuckuck**, die Kuckucks	. . . .	Der Kuckuck sagt nichts.
der	**Kassenzettel**, die Kassenzettel	. . . .	Hier ist der Kassenzettel.
die	**Garantie**, die Garantien	. . . .	Die Garantie ist für die Uhr, aber nicht für den Kuckuck.
	unglaublich	. . . .	Das ist ja unglaublich.
	umtauschen (etw.), er tauscht etw. um, er hat etw. umgetauscht	. . . .	Ich möchte die Uhr umtauschen.
der	**Tierarzt**, die Tierärzte	. . . .	Dann gehen Sie doch zum Tierarzt.

die	**Tierärztin**, die Tierärztinnen	Dann gehen Sie doch zur Tierärztin.
5.4	**zurückbekommen (etw.)**, er bekommt etw. zurück, er hat etw. zurückbekommen	Bekomme ich das Geld zurück?
5.4	**Vermischtes**	Unter „Vermischtes" findet man verschiedene Anzeigen.
	verschenken, er verschenkt, er hat verschenkt	Ich verschenke ein altes Auto.
der	**Goldring**, die Goldringe	Ich verkaufe einen Goldring.
das	**Karat**, die Karat(e)	Ich verkaufe einen Goldring mit 18 Karat.
die	**Chiffre**, die Chiffren	Angebote bitte an Chiffre AG/4566 senden.
der	**Heimtrainer**, die Heimtrainer	Ich suche einen neuen Heimtrainer.
	wertvoll	Ich verkaufe eine wertvolle Briefmarkensammlung.
die	**Briefmarkensammlung**, die Briefmarkensammlungen	Ich verkaufe eine wertvolle Briefmarkensammlung.
5.6a die	**Wörterliste**, die Wörterlisten	Kontrollieren Sie die Artikel in der Wörterliste.
	bieten, er bietet, er hat geboten	Ich biete einen runden Küchentisch für 50 Euro.

Übungen

Ü2a

der **Volksempfänger,** die Volks- .... Der Volksempfänger ist billig.
empfänger

der **Nationalsozialist,** die Natio- .... Die Nationalsozialisten kontrollieren das
nalsozialisten Programm.

die **Nationalsozialistin,** die Natio- .... Die Nationalsozialistinnen kontrollieren das
nalsozialistinnen Programm.

die **Propaganda** .... Die Nationalsozialisten nutzen das Radio für ihre
politische Propaganda.

der **Radiosender,** die Radiosender .... Seit den 1950er Jahren gibt es viele regionale
Radiosender.

das **Fernsehprogramm,** die Fern- .... 1952 sendet man in Deutschland das erste
sehprogramme Fernsehprogramm.

der **Schallplattenspieler,** die .... Seit 1960 gibt es Radios kombiniert mit
Schallplattenspieler Schallplattenspielern.

Ü7b

die **Theaterkarte,** die Theater- .... Paul hat zwei Theaterkarten für morgen Abend.
karten

Ü13a

das **Notebook-Problem,** die Note- .... Daniel hat ein Notebook-Problem.
book-Probleme

auskennen (sich mit etw.), er kennt sich mit etw. aus, er hat sich mit etw. ausgekannt

· · · · · · · · ·

Kennst du dich gut mit Computern aus?

Ü17

stehen, es steht, es stand

· · · · · · · · ·

Auf dem Kassenzettel steht, dass ich sechs Monate Garantie habe.

Ü18a der **Anrufbeantworter,** die Anrufbeantworter

· · · · · · · · ·

Ich verkaufe ein modernes Telefon mit Anrufbeantworter.

Ü18b der **Vertrag,** die Verträge

· · · · · · · · ·

Der Vertrag läuft noch.

laufen (Vertrag)

· · · · · · · · ·

Der Vertrag läuft noch.

hinterlassen, er hinterlässt, er hat hinterlassen

· · · · · · · · ·

Ich hinterlasse ihr eine Nachricht.

Fit für Einheit 6? Testen Sie sich!

die **Anfrage,** die Anfragen

· · · · · · · · ·

eine Anfrage machen

6 Ausgehen, Leute treffen

worauf .... sagen, worauf man Lust hat

die **Theaterkasse**, *die Theaterkassen* .... Tickets an der Theaterkasse abholen

der **Spieleabend**, *die Spieleabende* .... einen Spieleabend machen

das **Aquarium**, *die Aquarien* .... ins Aquarium gehen

die **Lesung**, *die Lesungen* .... eine Lesung besuchen

wohin .... Wohin gehen wir am Wochenende?

das **Kulturabonnement**, *die Kulturabonnements* .... Meine Frau und ich haben ein Kulturabonnement.

das **Jazz-Festival**, *die Jazz-Festivals* .... Im Frühling gibt es immer ein internationales Jazz-Festival.

hingehen, *er geht hin, er ist hingegangen* .... Da gehen wir natürlich hin.

der **Jazzfan**, *die Jazzfans* .... Wir treffen uns mit Freunden, die auch Jazzfans sind.

die	**Menge**, *die Mengen*	. . . .	Wir haben eine Menge Spaß.
die	**Menge (eine Menge Spaß haben)**, *er hat eine Menge Spaß, er hatte eine Menge Spaß*	. . . .	Wir haben eine Menge Spaß.
der	**Stammtisch**, *die Stammtische*	. . . .	Am Donnerstag Abend gehe ich zum Stammtisch.
der	**Skat**	. . . .	Wir spielen Karten, meistens Skat.
das	**Bierchen**, *die Bierchen*	. . . .	Wir trinken ein Bierchen oder zwei und unterhalten uns.

Ausgehen – nicht nur am Wochenende

der	**Wochenendtipp**, *die Wochenendtipps*	. . . .	Lesen Sie die Wochenendtipps.
	gern (ich würde gern)	. . . .	Ich würde gern zu Hause bleiben.
das	**Kartenspiel**, *die Kartenspiele*	. . . .	Ich habe Lust auf Kartenspiele.
der	**Jazz-Club**, *die Jazz-Clubs*	. . . .	Ich würde gern in einen Jazz-Club gehen.

gucken, *er guckt, er hat geguckt* . . . . Ich würde gern eine DVD gucken.

2 Im Restaurant

2.1

das **Lieblingsrestaurant,** die Lieblingsrestaurants . . . . Mein Lieblingsrestaurant ist ein Italiener.

2.2a

die **Sahnehaube,** *die Sahnehauben* . . . . Auf der Speisekarte steht eine Tomatensuppe mit Sahnehaube.

das **Bauernbrot,** *die Bauernbrote* . . . . Es gibt eine Wurstplatte mit Bauernbrot.

der **Toast Hawaii,** *die Toasts Hawaii* . . . . Ich mag gerne Toast Hawaii.

der **Toast,** *die Toasts* . . . . Ich mag gerne Toast Hawaii.

überbacken, *er überbackt, er hat überbacken* . . . . Toast Hawaii ist Schinken und Ananas auf Toast mit Käse überbacken.

die **Ofenkartoffel,** *die Ofenkartoffeln* . . . . Es gibt Ofenkartoffeln mit Kräuterquark.

der	**Kräuterquark,** *die Kräuter-*	Es gibt Ofenkartoffeln mit Kräuterquark.
	quarks	
das	**Rumpsteak,** *die Rumpsteaks*	Ich nehme ein Rumpsteak.
der	**Salatteller,** *die Salatteller*	Ich nehme einen großen Salatteller mit
		Putenbruststreifen.
die	**Rindsroulade,** *die Rindsroula-*	Es gibt Rindsroulade mit Rotkraut und Klößen.
	den	
das	**Rotkraut**	Ich mag kein Rotkraut.
der	**Kloß,** *die Klöße*	Ich mag keine Klöße.
die	**Fisch-Pfanne,** *die Fisch-Pfan-*	Ich nehme eine Fisch-Pfanne mit Bratkartoffeln.
	nen	
die	**Bratkartoffel,** *die Bratkartof-*	Ich nehme eine Fisch-Pfanne mit Bratkartoffeln.
	feln	
der	**Putenbruststreifen,** *die Puten-*	Ich nehme einen großen Salatteller mit
	bruststreifen	Putenbruststreifen.
	verschiedener, verschiedene,	Auf der Speisekarte stehen verschiedene Salate.
	verschiedenes	

der	**Gemüseauflauf,** die Gemüse-aufläufe	. . . .	Es gibt auch Gemüseauflauf.
der/ die	**Kleine,** die Kleinen	. . . .	Für die Kleinen gibt es besondere Gerichte.
das	**Fischstäbchen,** die Fischstäb-chen	. . . .	Kinder mögen gerne Fischstäbchen mit Kartoffelsalat.
der	**Kartoffelsalat,** die Kartoffel-salate	. . . .	Kinder mögen gerne Fischstäbchen mit Kartoffelsalat.
der	**Mickymaus-Teller,** die Micky-maus-Teller	. . . .	Der Kleine nimmt einen Mickymaus-Teller mit Grillwürstchen.
das	**Grillwürstchen,** die Grillwürst-chen	. . . .	Der Kleine nimmt einen Mickymaus-Teller mit Grillwürstchen.
das	**Dessert,** die Desserts	. . . .	Ich habe Lust auf ein Dessert.
der	**Apfelstrudel,** die Apfelstrudel	. . . .	Ich mag gerne Apfelstrudel mit Vanilleeis.
das	**Vanilleeis**	. . . .	Ich mag gerne Apfelstrudel mit Vanilleeis.
die	**Kirsche,** die Kirschen	. . . .	Ich mag lieber Vanilleeis mit heißen Kirschen.
	alkoholisch	. . . .	Auf der Speisekarte stehen alkoholische Getränke.
das	**Fass,** die Fässer (vom Fass)	. . . .	Er bestellt ein Bier vom Fass.

2.4a	die	**Grilltomate,** *die Grilltomaten*	. . . .	Ich hätte gern das Rumpsteak mit Grilltomate.
		vorher	. . . .	Vorher eine Gulaschsuppe, bitte.
	die	**Gulaschsuppe,** *die Gulasch-* *suppen*	. . . .	Vorher eine Gulaschsuppe, bitte.
	das	**Wiener Schnitzel,** *die Wiener* *Schnitzel*	. . . .	Für mich das Wiener Schnitzel mit Salat, bitte.
		statt	. . . .	Kann ich vielleicht Pommes Frites statt Kartoffelkroketten haben?
	die	**Kartoffelkrokette,** *die Kartof-* *felkroketten*	. . . .	Kann ich vielleicht Pommes Frites statt Kartoffelkroketten haben?
2.5	die	**Tomatensuppe,** *die Tomaten-* *suppen*	. . . .	Ich hätte gern eine Tomatensuppe.
	die	**Wurstplatte,** *die Wurstplatten*	. . . .	Ich hätte gern die Wurstplatte.
2.5		**tschechisch**	. . . .	Tschechische Skifreunde fahren zusammen Ski.
	der	**Skifreund,** *die Skifreunde*	. . . .	Tschechische Skifreunde fahren zusammen Ski.
	die	**Skifreundin,** *die Skifreun-* *dinnen*	. . . .	Tschechische Skifreundinnen fahren zusammen Ski.
		chinesisch	. . . .	Ich esse frische chinesische Shrimps.

der	**Shrimp**, die Shrimps	. . . .	Ich esse frische chinesische Shrimps.
die	**Schokoladenstatistik**, die Schokoladenstatistiken	. . . .	Wir lesen die Schweizer Schokoladenstatistik.
die	**Skischule**, die Skischulen	. . . .	Ich gehe in eine österreichische Skischule.
	portugiesisch	. . . .	Wir bestellen portugiesische Spezialitäten.
	schwedisch	. . . .	Ich kaufe schwedische Schneeschuhe.
der	**Schneeschuh**, die Schneeschuhe	. . . .	Ich kaufe schwedische Schneeschuhe.
	beschweren (sich über etw.), er beschwert sich, er hat sich beschwert	. . . .	Ich möchte mich über das Essen beschweren. Es schmeckt nicht.
	salzig	. . . .	Die Suppe ist zu salzig.
die	**Gabel**, die Gabeln	. . . .	Können Sie mir noch eine Gabel bringen?
das	**Messer**, die Messer	. . . .	Können Sie mir noch ein Messer bringen?
der	**Löffel**, die Löffel	. . . .	Können Sie mir noch einen Löffel bringen?
	zurücknehmen, er nimmt zurück, er hat zurückgenommen	. . . .	Das tut mir leid, ich nehme die Suppe zurück.

3 Rund ums Essen

3.1a

der	**Wörterbuchausriss**, die Wörterbuchausrisse	Lesen Sie den Wörterbuchausriss.
der	**Standard**, die Standards	Alle Restaurants dieser Kette haben den gleichen Standard.
das	**Produkt**, die Produkte	In jedem Restaurant bekommt der Gast die gleichen Produkte in der gleichen Qualität.
die	**Qualität**	In jedem Restaurant bekommt der Gast die gleichen Produkte in der gleichen Qualität.
die	**Systemgastronomie**, die Systemgastronomien	Dario ist Fachmann für Systemgastronomie.
die	**Restaurant-Kette**, die Restaurant-Ketten	Dario hat seine Ausbildung bei einer großen Restaurant-Kette gemacht.
die	**Produktqualität**, die Produktqualitäten	Im Restaurant musste er die Produktqualität kontrollieren.
der	**Ablauf**, die Abläufe	Im Büro hat er die Abläufe mitorganisiert.
	mitorganisieren, er organisiert mit, er hat mitorganisiert	Im Büro hat er die Abläufe mitorganisiert.

3.1b

die	**Pl<u>a</u>nung**, die Planungen	. . . .	Ihm hat die Planung viel Spaß gemacht.
die	**Organis<u>a</u>tion**, die Organisationen	. . . .	Ihm hat die Organisation viel Spaß gemacht.
	spezialis<u>ie</u>ren (sich), *er spezialisiert sich, er hat sich spezialisiert*	. . . .	Er möchte sich spezialisieren.
3.2a	der/ die	**<u>Au</u>szubildende**, die Auszubildenden	. . . .	Ein Auszubildender ist ein Mann, der eine Berufsausbildung macht.
die	**Berufs<u>au</u>sbildung**, die Berufsausbildungen	. . . .	Ein Auszubildender ist ein Mann, der eine Berufsausbildung macht.
die	**K<u>ü</u>chenhilfe**, die Küchenhilfen	. . . .	Küchenhilfen helfen dem Koch in der Küche.
3.2b	das	**Fl<u>u</u>gzeug**, die Flugzeuge	. . . .	Ein Pilot fliegt ein Flugzeug.
der	**Restaur<u>a</u>ntmanager**, die Restaurantmanager	. . . .	Ein Restaurantmanager organisiert ein Restaurant.
die	**Restaur<u>a</u>ntmanagerin**, die Restaurantmanagerinnen	. . . .	Eine Restaurantmanagerin organisiert ein Restaurant.
3.3a	der	**Gespr<u>i</u>tzte**, die Gespritzten	. . . .	Ein Gespritzer ist ein österreichisches Getränk mit Apfelsaft und Mineralwasser.

	beste̲hen aus, er besteht aus, er bestand aus	Ein Gespritzter besteht aus Apfelsaft und Mineralwasser.
der	**Restaurantkritiker,** die Restaurantkritiker	Ein Restaurantkritiker testet das Essen im Restaurant.
die	**Restaurantkritikerin,** die Restaurantkritikerinnen	Eine Restaurantkritikerin testet das Essen im Restaurant.
der	**Journali̲st,** die Journalisten	Ein Journalist schreibt für eine Zeitung.
die	**Journali̲stin,** die Journalistinnen	Eine Journalistin schreibt für eine Zeitung.
	te̲sten (etw.), er testet etw., er hat etw. getestet	Ein Restaurantkritiker testet das Essen im Restaurant.
	grie̲chisch	Ein griechischer Bauernsalat besteht aus Tomaten und Käse.
der	**Baue̲rnsalat,** die Bauernsalate	Ein griechischer Bauernsalat besteht aus Tomaten und Käse.
die	**Fliege,** die Fliegen	Die Fliege schwimmt in der Suppe.
	bee̲nden (etw.), er beendet etw., er hat etw. beendet	Sie hat gerade ihre Ausbildung beendet.

3.4

| der | **Restaurantskandal**, die Restaurantskandale | . . . . | Sie hat einen Restaurantskandal aufgedeckt. |
| | **<u>auf</u>decken**, er deckt auf, er hat aufgedeckt | . . . . | Sie hat einen Restaurantskandal aufgedeckt. |

3.5a

	türkisch	. . . .	Baklava ist ein türkischer Kuchen.
das	**Mehl**	. . . .	Baklava ist ein türkischer Kuchen aus Mehl, Wasser, Nüssen und Zucker.
die	**Nuss**, die Nüsse	. . . .	Baklava ist ein türkischer Kuchen aus Mehl, Wasser, Nüssen und Zucker.

3.5b

das	**T<u>oa</u>stbrot**, die Toastbrote	. . . .	Toast Hawaii besteht aus Toastbrot, Ananas, Schinken und Käse.
das	**Sushi**, die Sushis	. . . .	Sushi ist eine japanische Spezialität.
die	**Spezialit<u>ä</u>t**, die Spezialitäten	. . . .	Sushi ist eine japanische Spezialität.
das	**Käse-Fondue**, die Käse-Fondues	. . . .	Käse-Fondue ist ein Schweizer Gericht.
der	**Tsats<u>i</u>ki**	. . . .	Tsatsiki ist eine griechische Soße aus Joghurt, Gurke und Knoblauch.

die	**So̱ße**, die Soßen	. . . .	Tsatsiki ist eine griechische Soße aus Joghurt, Gurke und Knoblauch.
der	**Kno̱blauch**	. . . .	Tsatsiki ist eine griechische Soße aus Joghurt, Gurke und Knoblauch.

3.5c

die	**Wiener**, die Wiener	. . . .	Wiener sind zwei Würstchen.
der	**Amerika̱ner**, die Amerikaner	. . . .	Amerikaner sind ein Gebäck.
der	**Kameru̱ner**, die Kameruner	. . . .	Was sind Kameruner?
die	**Kra̱kauer**, die Krakauer	. . . .	Krakauer sind Würstchen.

4 Leute kennenlernen

4.2a

die	**Freude (jmdm. eine Freude machen)**, er macht ihr eine Freude, er hat ihr eine Freude gemacht	. . . .	Die Kinder haben uns viel Freude gemacht.

4.3

die	**Ke̱nnenlern-Geschichte**, die Kennenlern-Geschichten	. . . .	Schreiben Sie Ihre Kennenlern-Geschichte auf.

	gehen (um etw.), es geht um etw., es ging um etw.	Es geht um Partnersuche mit dem Computer.
die	**Partnersuche**, die Partnersuchen	Es geht um Partnersuche mit dem Computer.
die	**Diskussion**, die Diskussionen	Es geht um Diskussionen mit anderen Computerfans.
der	**Computerfan**, die Computerfans	Es geht um Diskussionen mit anderen Computerfans.
die	**Kneipe**, die Kneipen	Es geht um Tipps, wie man Leute in Kneipen kennenlernt.
der	**Traumprinz**, die Traumprinzen	Traumprinz oder Traumprinzessin per Mausklick?
die	**Traumprinzessin**, die Traumprinzessinnen	Traumprinz oder Traumprinzessin per Mausklick?
der	**Mausklick**, die Mausklicks	Traumprinz oder Traumprinzessin per Mausklick?
das	**Wunder**, die Wunder (hier: kein Wunder!)	Kein Wunder, dass immer mehr Menschen den Partner fürs Leben im Internet suchen.
der	**Partner**, die Partner	Immer mehr Menschen suchen einen Partner im Internet.

die	**Partnerin,** die Partnerinnen	. . . .	Immer mehr Menschen suchen eine Partnerin im Internet.
die	**Kontaktbörse,** die Kontaktbörsen	. . . .	Das Internet ist die Kontaktbörse Nr. 1.
der	**Lebenspartner,** die Lebenspartner	. . . .	Über drei Millionen Menschen suchen dort einen Lebenspartner.
die	**Lebenspartnerin,** die Lebenspartnerinnen	. . . .	Über drei Millionen Menschen suchen dort eine Lebenspartnerin.
	anmelden (sich), er meldet sich an, er hat sich angemeldet	. . . .	Jeden Tag melden sich 12.000 neu an.
der	**Experte,** die Experten	. . . .	Der Experte für Online-Singlebörsen rät: Seien Sie ehrlich!
die	**Expertin,** die Expertinnen	. . . .	Die Expertin für Online-Singlebörsen rät: Seien Sie ehrlich!
die	**Online-Singlebörse,** die Online-Singlebörsen	. . . .	Er ist Experte für Online-Singlebörsen.
	raten, er rät, er hat geraten	. . . .	Er rät den Nutzern: Seien Sie ehrlich!
	ehrlich	. . . .	Er rät den Nutzern: Seien Sie ehrlich!

	realistisch	. . . .	Schicken Sie realistische Fotos.
der	**Traumpartner**, *die Traum-partner*	. . . .	Man kann seinen Traumpartner nicht nach Alter und Geld im Internet bestellen.
die	**Traumpartnerin**, *die Traum-partnerinnen*	. . . .	Man kann seine Traumpartnerin nicht nach Alter und Geld im Internet bestellen.
das	**Alter**	. . . .	Man kann seinen Traumpartner nicht nach Alter und Geld im Internet bestellen.
	ansprechen, *er spricht an, er hat angesprochen*	. . . .	In der ersten E-Mail soll man den Partner ansprechen.
	beschäftigen (sich mit etw./ jmdm.), *er beschäftigt sich mit ihm, er hat sich mit ihm beschäftigt*	. . . .	Man soll sich mit dem Partner beschäftigen.
der	**Ex-Mann**, *die Ex-Männer*	. . . .	Themen wie Ex-Männer sind tabu.
die	**Ex-Frau**, *die Ex-Frauen*	. . . .	Themen wie Ex-Frauen sind tabu.
	ernst	. . . .	Themen wie ernste Probleme sind tabu.
	tabu	. . . .	Bestimmte Themen sind in der ersten E-Mail tabu.

der	**Internet-Flirter**, die Internet-Flirter	. . . .	Vielleicht finden sich die Internet-Flirter auch im richtigen Leben sympathisch.
die	**Internet-Flirterin**, die Internet-Flirterinnen	. . . .	Vielleicht finden sich die Internet-Flirterinnen auch im richtigen Leben sympathisch.
	sympathisch	. . . .	Vielleicht finden sich die Internet-Flirter auch im richtigen Leben sympathisch.
der	**Flirtpartner**, die Flirtpartner	. . . .	So können sich Flirtpartner ein genaues Bild machen.
die	**Flirtpartnerin**, die Flirtpartnerinnen	. . . .	So können sich Flirtpartnerinnen ein genaues Bild machen.
das	**Bild (sich ein Bild machen von etw.)**, *er macht sich ein Bild von etw., er hat sich ein Bild von etw. gemacht*	. . . .	So können sich Flirtpartner ein genaues Bild machen.
die	**A̲ugenfarbe**, die Augenfarben	. . . .	Meine Augenfarbe ist braun.
die	**Haarfarbe**, die Haarfarben	. . . .	Meine Haarfarbe ist blond.
das	**Gewicht**, die Gewichte	. . . .	Mein Gewicht ist 63 Kilo.
die	**Vo̲rliebe**, die Vorlieben	. . . .	Meine Vorlieben sind Tanzen, Kochen und Stricken.

4.5c

4.6a

das	**Speed-Dating**, die Speed-Datings	Beim Speed-Dating kann man schnell Leute kennenlernen.
	wechseln, er wechselt, er hat gewechselt	Danach wechseln sie zu einem neuen Gesprächspartner.
der	**Gesprächspartner**, die Gesprächspartner	Sieben Minuten spricht man mit einem Gesprächspartner.
die	**Gesprächspartnerin**, die Gesprächspartnerinnen	Sieben Minuten spricht man mit einer Gesprächspartnerin.
das	**Partnerprofil**, die Partnerprofile	Sie melden sich mit einem Partnerprofil auf einer Internetseite an.
	genug	Es passen genug Partner zu Ihrem Profil.
das	**Profil**, die Profile	Es passen genug Partner zu Ihrem Profil.
die	**Szene**, die Szenen	Das Bild zeigt eine Szene aus einem Film.

Übungen

der	**Feierabend**, die Feierabende	Am Feierabend wollen wir heute in ein Konzert gehen.

Ü
Ü2

Ü2a	die	**Live-Musik**	. . . .	Meine Kollegen und ich wollen heute Live-Musik hören.
	der	**Kinoabend**, die Kinoabende	. . . .	Ich habe heute Lust auf einen ruhigen Kinoabend.
Ü2b	die	**Salsa-Nacht**, die Salsa-Nächte	. . . .	Die Salsa-Nacht findet im „Havanna Club" statt.
	die	**Tanzschule**, die Tanzschulen	. . . .	Die Salsa-Nacht findet in der Tanzschule „Ritter" statt.
Ü4	die	**Führung**, die Führungen	. . . .	Am Samstag gehe ich zu einer Führung über Japanische Kunst.
	der	**Roman**, die Romane	. . . .	Juli Zeh liest ihren Roman „Nullzeit".
	das	**Leid**, die Leiden	. . . .	Im Theater kommt „Die Leiden des jungen Werther".
	das	**Quintett**, die Quintette	. . . .	Das Quintett spielt am Samstag Blues.
Ü6b	die	**Frühlingssuppe**, die Frühlings-suppen	. . . .	Ich hätte gern eine Frühlingssuppe und eine Cola.
	die	**Käseplatte**, die Käseplatten	. . . .	Ich hätte gern eine Käseplatte.
Ü7a	das	**Rindfleisch**	. . . .	Ich hätte gern Rindfleisch mit Kartoffeln.
	das	**Bratwürstchen**, die Bratwürst-chen	. . . .	Ich hätte gern Bratwürstchen mit Sauerkraut.

Ü9a	der	**Gast,** die Gäste	. . . .	Der Gast bestellt Gulaschsuppe.
Ü13a		**bedienen,** er bedient, er hat bedient	. . . .	Der Kellner bedient die Gäste.
	die	**Bäckerei,** die Bäckereien	. . . .	Als Bäckerin arbeitet Estella in Bäckereien.
Ü15		**indonesisch**	. . . .	Gado-Gado ist ein indonesisches Essen.
	der	**Rucolasalat,** die Rucolasalate	. . . .	Halloumi passt gut zu Rucolasalat.
	die	**Litschi,** die Litschis	. . . .	Die Litschi ist eine Frucht aus Südchina.
	der	**Taco,** die Tacos	. . . .	Tacos sind kleine Snacks aus Mexiko.
Ü16a	der	**Rucola**	. . . .	Das Sandwich macht man aus Käse, Rucola und Tomaten.
Ü16b	das	**Lieblingscafé,** die Lieblingscafés	. . . .	In meinem Lieblingscafé gibt es sehr guten Milchkaffee.
Ü17a	der	**Chat,** die Chats	. . . .	Lesen Sie die Nachrichten im Chat.
	die	**Ansicht, die Ansichten**	. . . .	Es gibt verschiedene Ansichten im Chat.
Ü18		**mitgehen,** er geht mit, er ist mitgegangen	. . . .	Wir gehen gerne mit ins Theater.

Station 2

1 Berufsbilder

1.1

der	*Webdesigner, die Webdesigner*	. . . .	Webdesigner entwickeln Internetseiten.
die	*Webdesignerin, die Webdesignerinnen*	. . . .	Webdesignerinnen entwickeln Internetseiten.

1.1a

die	*Suchmaschine, die Suchmaschinen*	. . . .	Die Suchmaschine hilft bei der Recherche nach Informationen.
die	*Recherche, die Recherchen*	. . . .	Die Suchmaschine hilft bei der Recherche nach Informationen.
der	*Internetbrowser, die Internetbrowser*	. . . .	Der Internetbrowser ist ein Programm.
der	*Internetsurfer, die Internetsurfer*	. . . .	Der Internetsurfer nutzt das Internet und sieht sich Internetseiten an.
die	*Internetsurferin, die Internetsurferinnen*	. . . .	Die Internetsurferin nutzt das Internet und sieht sich Internetseiten an.
der	*Mediengestalter, die Mediengestalter*	. . . .	Der Mediengestalter gestaltet Bücher, Zeitschriften oder Internetseiten.

die	**Mediengestalterin,** *die Mediengestalterinnen*	.....	Die Mediengestalterin gestaltet Bücher, Zeitschriften oder Internetseiten.
die	**Werbeagentur,** *die Werbeagenturen*	.....	Der Mediengestalter arbeitet in Werbeagenturen.
die	**Multimedia-Agentur,** *die Multimedia-Agenturen*	.....	Der Mediengestalter arbeitet in Multimedia-Agenturen.
	gestalten, *er gestaltet, er hat gestaltet*	.....	Die Mediengestalterin gestaltet Bücher, Zeitschriften oder Internetseiten.
der	**Link,** *die Links*	.....	Die Links verbinden Internetseiten.
das	**Web**	.....	Das Web ist ein anderes Wort für Internet.
der	**Satzanfang,** *die Satzanfänge*	.....	Die Satzanfänge helfen die Aufgaben zusammenzufassen.
	deshalb	.....	Ein Webdesigner muss deshalb die Seiten pflegen.
	stellen (ins Internet), *er stellt, er hat gestellt*	.....	Norbert Arendt stellt Texte, Bilder und Grafiken ins Internet.
die	**Internetsprache,** *die Internetsprachen*	.....	Er braucht für seine Arbeit verschiedene Internetsprachen.

1.1b

das **Farbdesign**, die Farbdesigns	. . . .	Er entwickelt besonders gern Vorschläge für das Farbdesign.
der **Farbtrend**, die Farbtrends	. . . .	Farbtrends verändern sich.
funktional	. . . .	Eine Internetseite muss auch funktional sein.
orientieren (sich), er orientiert sich, er hat sich orientiert	. . . .	Die Internetsurfer wollen sich schnell auf der Seite orientieren.
der **Surfer**, die Surfer	. . . .	Die Surfer finden nicht, was sie suchen.
die **Surferin**, die Surferinnen	. . . .	Die Surferinnen finden nicht, was sie suchen.
aktualisieren, er aktualisiert, er hat aktualisiert	. . . .	Norbert Arendt muss die Seiten immer wieder aktualisieren.
bewerten, er bewertet, er hat bewertet	. . . .	Lesen und bewerten Sie die Internetseite.
die **Direktbestellung**, die Direktbestellungen	. . . .	Auf der Internetseite ist eine Direktbestellung möglich.
die **Erwachsenenbildung**	. . . .	Auf der Internetseite geht es um Erwachsenenbildung.
der **Webcode**, die Webcodes	. . . .	Man kann sich den Webcode ansehen.
das **Login**, die Logins	. . . .	Über den Login kann man sich einloggen.

1.2

1.2b

der	**Warenkorb**, die Warenkörbe	Im Warenkorb kann man Bestellungen sammeln.
	DaF (=Deutsch als Fremd-sprache)	Die Seite hat einen Unterrichtsservice für DaF.
	DaZ (= Deutsch als Zweit-sprache)	Die Seite hat einen Unterrichtsservice für DaZ.
	romanisch	Es gibt auch Informationen zu romanischen Sprachen.
das	**DaF-Lehrwerk**, die DaF-Lehr-werke	Man kann DaF-Lehrwerke bestellen.
die	**Alphabetisierung**, die Alpha-betisierungen	Man kann sich über Alphabetisierung informieren.
die	**Prüfungsvorbereitung**, die Prüfungsvorbereitungen	Es gibt Angebote zur Prüfungsvorbereitung.
die	**Lektüre**, die Lektüren	Man kann auch Lektüren herunterladen.
der	**Unterrichtsservice**, die Unter-richtsservices	Die Seite hat einen Unterrichtsservice für DaF.
das	**Selbstlernmaterial**, die Selbst-lernmaterialien	Die Surfer können Selbstlernmaterialien herunterladen.

der **Einstufungstest**, die Einstu-
fungstests . . . . Die Seite bietet verschiedene Einstufungstests an.

der **Linktipp**, die Linktipps . . . . Hier finden Sie spannende Lesetexte, Linktipps und
vieles mehr.

der **Veranstaltungshinweis**, die . . . . Für Surfer gibt es Linktipps und
Veranstaltungshinweise Veranstaltungshinweise.

vieles . . . . Hier finden Sie spannende Lesetexte, Linktipps und
vieles mehr.

die **Lehrwerksübersicht**, die Lehr- . . . . Die komplette Lehrwerksübersicht gibt es mit
werksübersichten Klick auf „DaF-Lehrwerke".

der **Moodle-Kurs**, die Moodle- . . . . Testen Sie hier unsere Moodle-Kurse.
Kurse

Moodle . . . . Hier kommen Sie zu unserem Moodle Angebot.

anbieten, er bietet an, er hat . . . . Wir bieten regelmäßig kostenlose Veranstaltungen
angeboten an.

die **Erläuterung**, die Erläute- . . . . Wir bieten Erläuterungen zu unserem
rungen Lehrwerkskonzept an.

das **Lehrwerkskonzept**, die Lehr- . . . . Wir bieten Erläuterungen zu unserem
werkskonzepte Lehrwerkskonzept an.

der	**Erf<u>a</u>hrungsbericht,** die Erfahrungsberichte	. . . .	Cornelsen bietet auch viele Tipps und Erfahrungsberichte aus der Praxis an.
die	**Pr<u>a</u>xis**	. . . .	Cornelsen bietet auch viele Tipps und Erfahrungsberichte aus der Praxis an.
	did<u>a</u>ktisch	. . . .	Aktuelle Infos und didaktische Tipps rund um DaF.
	gesp<u>a</u>nnt	. . . .	Wir sind gespannt auf Ihre Beiträge!
der	**B<u>ei</u>trag,** die Beiträge	. . . .	Wir sind gespannt auf Ihre Beiträge!
	m<u>i</u>tgestalten, er gestaltet mit, er hat mitgestaltet	. . . .	Wir sind gespannt auf Ihre Beiträge, gestalten Sie mit!
	zud<u>e</u>m	. . . .	Sie können sich zudem über regelmäßige Sonderaktionen informieren.
die	**S<u>o</u>nderaktion,** die Sonderaktionen	. . . .	Sie können sich zudem über regelmäßige Sonderaktionen informieren.
	inform<u>a</u>tiv	. . . .	Die Internetseite ist informativ.
	<u>ü</u>bersichtlich	. . . .	Ich finde die Internetseite übersichtlich.
	<u>u</u>nübersichtlich	. . . .	Ich finde die Internetseite unübersichtlich.
der	**Schr<u>i</u>tt,** die Schritte	. . . .	Ordnen Sie die Schritte.

1.3

1.4   ***eingeben**, er gibt ein, er hat eingegeben*   . . . .   Geben Sie die Stichwörter ein.

     wor<u>au</u>s   . . . .   Woraus macht man „Obatzda" und „Labskaus"?

2   Wörter – Spiele – Training

2.1   *das*   **Interviewspiel**, *die Interviewspiele*   . . . .   Heute spielen wir im Kurs das Interviewspiel.

2.1a   **R<u>a</u>d fahren**, *er fährt Rad, er ist Rad gefahren*   . . . .   Im Sommer fährt Stefan Rad.

     das   **Sk<u>i</u>springen**   . . . .   Im Winter sieht Frau Gärtner beim Skispringen zu.

     z<u>u</u>sehen, *er sieht zu, er hat zugesehen*   . . . .   Im Winter sieht Frau Gärtner beim Skispringen zu.

     der   **Schl<u>i</u>tten**, *die Schlitten*   . . . .   Im Winter fährt Frau Gärtner Schlitten.

     s<u>o</u>nntags   . . . .   Sonntags spielt Stefan in einer Band.

     die   **<u>E</u>-Gitarre**, *die E-Gitarren*   . . . .   Stefan spielt E-Gitarre in einer Band.

2.2   *das*   **L<u>au</u>fdiktat**, *die Laufdiktate*   . . . .   Wie funktioniert ein Laufdiktat?

die	**Partnerarbeit**, die Partner-arbeiten	Arbeiten Sie zu zweit in Partnerarbeit.
2.2a	**legen**, er legt, er hat gelegt	Legen Sie in jede Ecke im Kursraum ein Kursbuch.
2.2b	**zurücklaufen**, er läuft zurück, er ist zurückgelaufen	Nach dem Lesen läuft er zurück.
2.2d das	**(Wiener) Kaffeehaus**, die (Wiener) Kaffeehäuser	Im Wiener Kaffeehaus bestellt ein Gast eine Suppe.
	kochen (vor Wut kochen) er kocht vor Wut, er hat vor Wut gekocht	Der Ober kocht vor Wut.
die	**Wut**	Der Ober kocht vor Wut.
	rechte	Der Ober hat den rechten Daumen beim Servieren in der Suppe.
der	**Daumen**, die Daumen	Der Ober hat den rechten Daumen beim Servieren in der Suppe.
2.3a	**keiner, keine, keins**	Ich habe keine Zeitung gelesen.
	nachsehen (jmdm), er sieht ihr nach, er hat ihr nachge-sehen	Ich habe keiner Frau nachgesehen.

	bringen *(einen Stein ins Rollen bringen)*	. . . .	Ich habe keinen Stein ins Rollen gebracht.
	rollen, *er rollt, er ist gerollt*	. . . .	Der Stein ist gerollt.
2.4a	*der* **Bewohner,** *die Bewohner*	. . . .	Wiener heißen die Bewohner der Stadt Wien.
	die **Bewohnerin,** *die Bewohnerinnen*	. . . .	Wienerinnen heißen die Bewohnerinnen der Stadt Wien.
	die **Würstchensorte,** *die Würstchensorten*	. . . .	Wiener und Krakauer sind Würstchensorten.
	der **Witz,** *die Witze*	. . . .	Manche Menschen finden Witze über Fliegen in der Suppe nicht witzig.
	witzig	. . . .	Manche Menschen finden Witze über Fliegen in der Suppe nicht witzig.
2.4b	**austauschen,** *er tauscht aus, er hat ausgetauscht*	. . . .	Tauschen Sie die Rätsel im Kurs aus.

3 Filmstation

| 3.1 | *das* **Geocoaching** | . . . . | Geocoaching ist ein Hobby für die ganze Familie. |

3.1a	der	**Clip**, die Clips	. . . .	Sehen Sie den Clip ohne Ton an.
3.1b	das	**Navigationsgerät**, die Navigationsgeräte	. . . .	Er sucht den Schatz mit dem Navigationsgerät.
	das	**Notizbuch**, die Notizbücher	. . . .	Sie schreibt die Informationen in das Notizbuch.
	das	**Versteck**, die Verstecke	. . . .	Es gibt auf der ganzen Welt circa 7000 Verstecke.
	das	**GPS-Navigationssystem**, die GPS-Navigationssysteme	. . . .	Mit einem GPS-Navigationssystem sucht man den Schatz.
		herausnehmen, er nimmt etw. heraus, er hat etw. herausgenommen	. . . .	Man nimmt ein Teil heraus und legt ein neues Teil in die Kiste.
	das	**Teil**, die Teile	. . . .	Man nimmt ein Teil heraus und legt ein neues Teil in die Kiste.
	die	**Kiste**, die Kisten	. . . .	Der Schatz ist in einer Kiste.
		zurücklegen, er legt etw. zurück, er hat etw. zurückgelegt	. . . .	Dann legt man den Schatz wieder zurück.
3.3		**verpacken**, er verpackt etw, er hat etw. verpackt	. . . .	Er verpackt das Geschenk.

3.3a	der	**Laptop**, die Laptops	. . . .	Der Industriedesigner gestaltet das Laptop.
3.3b	die	**Jobbeschreibung**, die Job-beschreibungen	. . . .	Lesen Sie die Jobbeschreibung.
	das	**Design**, die Designs	. . . .	In diesem Beruf macht man das Design für die Medien.
	das	**Modell**, die Modelle	. . . .	Der Designer entwirft erste Modelle.
	der	**Industriedesigner**, die Indus-triedesigner	. . . .	Der Industriedesigner macht eine Zeichnung und baut ein Modell.
	die	**Industriedesignerin**, die Indus-triedesignerinnen	. . . .	Die Industriedesignerin macht eine Zeichnung und baut ein Modell.
	der	**Käufer**, die Käufer	. . . .	Das Design muss zum Käufer passen.
	die	**Käuferin**, die Käuferinnen	. . . .	Das Design muss zur Käuferin passen.
	die	**Käufergruppe**, die Käufer-gruppen	. . . .	Für eine Käufergruppe entwirft der Designer Modelle.
		entwerfen, er entwirft, er hat entworfen	. . . .	Für eine Käufergruppe entwirft der Designer Modelle.
	der	**Designer**, die Designer	. . . .	Der Designer entwirft erste Modelle.
	die	**Designerin**, die Designerinnen	. . . .	Die Designerin entwirft erste Modelle.

3.4	das	**Lieblingsdesign**, die Lieblings-designs	. . . .	Wie sieht dein Lieblingsdesign aus?
		designen, er designt etw., er hat etw. designt	. . . .	Sie können ein Handy designen.
3.5	der	**Kochkurs**, die Kochkurse	. . . .	Malte und Karina machen einen Kochkurs.
3.5a	das	**Jumping Dinner**, die Jumping-Dinner	. . . .	Malte und Karina machen beim Jumping Dinner mit.
	das	**Hauptgericht**, die Hauptge-richte	. . . .	Sie treffen für das Hauptgericht fünf neue Singles in einer anderen Wohnung.
	der	**Nachtisch**, die Nachtische	. . . .	Für den Nachtisch treffen sie noch einmal neue Singles.
	der	**Gang**, die Gänge	. . . .	In drei Gängen treffen sie also 18 Singles.
3.5b	der	**Singlekochkurs**, die Single-kochkurse	. . . .	Er macht einen Singlekochkurs an einer Kochschule.
	die	**Kochschule**, die Kochschulen	. . . .	Er macht einen Singlekochkurs an einer Kochschule.

4 ■ Magazin

irgendwo · · · · · · · · · · · · · Eine Geburtstagsfeier irgendwo in Süddeutschland.

der **Nachbargarten**, *die Nachbar-*
gärten · · · · · · · · · · · · · Einige Gäste haben im Nachbargarten einen
Gartenzwerg entdeckt.

der **Gartenzwerg**, *die Garten-*
zwerge · · · · · · · · · · · · · Die Gäste haben den Gartenzwerg mitgenommen.

der **Zwerg**, *die Zwerge* · · · · · · · · · · · · · Der Zwerg bekam den Namen Fridolin.

die **Weltreise**, *die Weltreisen* · · · · · · · · · · · · · Ich mache eine Weltreise.

der **Eigentümer**, *die Eigentümer* · · · · · · · · · · · · · Jeder Gast hat Postkarten an den Eigentümer
geschrieben.

die **Eigentümerin**, *die Eigentüme-*
rinnen · · · · · · · · · · · · · Jeder Gast hat Postkarten an die Eigentümerin
geschrieben.

dienstlich · · · · · · · · · · · · · Er war dienstlich im Ausland.

reisefreudig · · · · · · · · · · · · · Die Gäste waren sehr reisefreudig.

unter anderem (*u. a.*) · · · · · · · · · · · · · Er hat Grüße unter anderem aus Australien und
den USA bekommen.

irgendeiner, irgendeine,
irgendeins · · · · · · · · · · · · · Irgendeiner hatte die Idee.

die	**Zwergendame**, die Zwergen-damen	Fridolin hat eine nette Zwergendame kennengelernt.
die	**Gartenzwergin**, die Garten-zwerginnen	Die Gäste haben eine Gartenzwergin gekauft.
	versammeln (sich), sie ver-sammeln sich, sie haben sich versammelt	Zur Feier haben sich alle wieder im Garten versammelt.
der	**Ehegatte**, die Ehegatten	Sie haben den Ehegatten zu seinem Eigentümer zurückgebracht.
die	**Ehegattin**, die Ehegattinnen	Sie haben die Ehegattin zu ihrem Eigentümer zurückgebracht.
	heimlich	Sie haben die Zwerge heimlich zu ihrem Eigentümer zurückgebracht.
	zurückbringen, er bringt zurück, er hat zurückge-bracht	Sie haben die Zwerge heimlich zu ihrem Eigentümer zurückgebracht.
	zurückhaben (etw.), er hat etw. zurück, er hatte etw. zurück	Der Nachbar hatte jetzt nicht nur seinen Zwerg zurück.

zusätzlich	. . . .	Er hatte noch einen Zwerg zusätzlich.
tatsächlich	. . . .	Tatsächlich war der Zwerg natürlich die ganze Zeit im Keller.
der **Bahnsteig**, die Bahnsteige	. . . .	Steh nicht auf dem Bahnsteig.
entgegengehen (jmdm.), er geht ihm entgegen, er ist ihm entgegengegangen	. . . .	Geh mir nicht entgegen.
lassen, er lässt, er hat gelassen	. . . .	Lass dich nicht küssen.
absteigen, er steigt ab, er ist abgestiegen	. . . .	Steig nicht im erstbesten Hotel ab.
erstbeste, erstbeste, erstbeste	. . . .	Steig nicht im erstbesten Hotel ab.
dauernd	. . . .	Sieh mich nicht dauernd an.
stammeln, er stammelt, er hat gestammelt	. . . .	Er stammelt, er muss heim.
heim (müssen)	. . . .	Ich muss heim.
rennen: vor jdm herrennen, er rennt vor ihm her, er ist vor ihm hergerannt	. . . .	Renn nicht vor mir her.

umdrehen (sich), *er dreht sich um, er hat sich umgedreht* . . . . Dreh dich nicht um.

zuwinken (jmdm), *er winkt mir zu, er hat mir zuge-wunken* . . . . Wink mir nicht zu.

der **Herbstmorgen**, *die Herbst-morgen* . . . . Es war an einem Herbstmorgen in Holland.

die **Nebelkuh**, *die Nebelkühe* . . . . Die Nebelkuh steht im Nebelmeer.

das **Nebelmeer**, *die Nebelmeere* . . . . Die Nebelkuh steht im Nebelmeer.

muhen, *sie muht, sie hat gemuht* . . . . Die Kuh muht neben meinem Bahngleis.

das **Bahngleis**, *die Bahngleise* . . . . Der Zug fährt auf dem Bahngleis.

entstellen, *er entstellt, er hat entstellt* . . . . Das n wird zum l entstellt.

die **Nebelwelt**, *die Nebelwelten* . . . . Nun geht es weiter in die Nebelwelt.

konsequent . . . . Ich bin endlich konsequent.

umschreiben, *er schreibt um, er hat umgeschrieben* . . . . Man kann Gedichte umschreiben.

	auswendig	. . . .	Man kann Gedichte auswendig lernen.
die	*Lokomotive, die Lokomotiven*	. . . .	Die Lokomotiven tönen.
	tönen, sie tönt, sie hat getönt	. . . .	Die Lokomotiven tönen.
die	*Vergangenheit*	. . . .	Wir reisen in die Vergangenheit.
die	*Gegenwart*	. . . .	Wir bleiben in der Gegenwart.
der	*Sumpf, die Sümpfe*	. . . .	Wir fahren in den Sumpf.
	unaufhaltsam	. . . .	Unaufhaltsam ziehen die Träume vorbei.
	vorbeiziehen, er zieht vorbei, er ist vorbeigezogen	. . . .	Unaufhaltsam ziehen die Träume vorbei.
die	*Gewissheit*	. . . .	Wir reisen mit einer Gewissheit.
	anlangen, er langt an, er ist angelangt	. . . .	Wo wir auch anlangen, liegt das Ziel schon hinter uns.

7 Vom Land in die Stadt

das	*Stadtleben*	. . . .	Ich finde das Stadtleben schöner.

das	**Landleben**	. . . .	Ich mag das Landleben lieber.
der	**Traktor**, die Traktoren	. . . .	Auf dem Land fährt der Bauer Traktor.
die	**Ausstellung**, die Ausstellungen	. . . .	In der Stadt kann man Ausstellungen besuchen.

1 Stadtleben oder Landluft?

die	**Landluft**	. . . .	Stadtleben oder Landluft?
der	**Schüttelkasten**, die Schüttelkästen	. . . .	Ordnen Sie die Wörter aus dem Schüttelkasten.
	beides	. . . .	Tiere füttern und Traktor fahren: beides kann man auf dem Land machen.
die	*Luftverschmutzung*	. . . .	In der Stadt gibt es mehr Luftverschmutzung.
das	**Radfahren**	. . . .	Radfahren kann man in der Stadt und auf dem Land.
	grillen, er grillt, er hat gegrillt	. . . .	Auf dem Land kann man im Garten grillen.
der	**Verkehrsstau**, die Verkehrsstaus	. . . .	In der Stadt gibt es Verkehrsstaus.

1.2a

der	**Bericht**, die Berichte	. . . .	den Bericht lesen
der	*Großstädter, die Großstädter*	. . . .	Deutsche Großstädter lieben das Stadtleben.
die	*Großstädterin, die Großstäd-terinnen*	. . . .	Deutsche Großstädterinnen lieben das Stadtleben.
	eindeutig	. . . .	Das Ergebnis war eindeutig.
der	**Bewohner**, die Bewohner	. . . .	Die Bewohner von Städten mit mehr als 100.000 Einwohnern sind sehr zufrieden mit ihrem Wohnort.
die	**Bewohnerin**, die Bewohne-rinnen	. . . .	Die Bewohnerinnen von Städten mit mehr als 100.000 Einwohnern sind sehr zufrieden mit ihrem Wohnort.
	zufrieden	. . . .	Die meisten Bewohner sind sehr zufrieden mit ihrem Wohnort.
der	**Wohnort**, die Wohnorte	. . . .	Die meisten Bewohner sind sehr zufrieden mit ihrem Wohnort.
	zahlreich	. . . .	Die Großstädter mögen die zahlreichen Freizeitmöglichkeiten.
die	*Kleinstadt, die Kleinstädte*	. . . .	Eine Großstadt bietet mehr Einkaufsmöglichkeiten als eine Kleinstadt.

der	**Pluspunkt**, die Pluspunkte
die	**Arbeitsstelle**, die Arbeitsstellen
	verkürzen, er verkürzt, er hat verkürzt
	ebenso
	nahe
	konkret
1.2b	**begründen**, er begründet, er hat begründet

Das große Kulturangebot ist ein Pluspunkt.

Auf dem Land ist es schwierig eine Arbeitsstelle zu finden.

Sie wollen den Weg zur Arbeit verkürzen.

Mehr Kindergärten sind für die meisten ebenso wichtig.

Schulen liegen in der Stadt nahe am Wohnort.

Sie hatten keinen konkreten Grund für den Umzug.

Begründen Sie Ihre Meinung.

2 Vom Land in die Stadt

2.1 **umziehen**, er zieht um, er ist umgezogen — Frank und Jessica sind umgezogen.

2.1a der **Nachteil**, die Nachteile — Welche Nachteile nennen sie?

die	**Busverbindung**, *die Busverbin-dungen*	. . . .	Die schlechten Busverbindungen sind ein Nachteil.
der	**Lärm**	. . . .	In der Stadt gibt es mehr Lärm.
	unbekannt	. . . .	Häufig hat man unbekannte Nachbarn.
das	**Mietshaus**, *die Mietshäuser*	. . . .	Im Mietshaus kennt man seine Nachbarn nicht.
	kulturell	. . . .	Es gibt in der Großstadt viele kulturelle Angebote.
	kaum	. . . .	Man kann sich kaum entscheiden.
	eigentlich	. . . .	In der Stadt braucht man eigentlich kein Auto.
der	**Benzinpreis**, die Benzinpreise	. . . .	Die Benzinpreise sind teuer.
	steigen, *er steigt, er ist gestie-gen*	. . . .	Die Benzinpreise steigen.
die	**Möglichkeit**, die Möglichkei-ten	. . . .	Es gibt mehr Möglichkeiten zur Freizeitgestaltung in der Natur.
die	**Lippe**, die Lippen	. . . .	Machen Sie die Lippen rund und sprechen Sie nach.
	argumentieren, er argumen-tiert, er hat argumentiert	. . . .	Wer argumentiert pro Stadt?

	endlich	Endlich Ruhe und Platz!
	dauernd	In Hamburg hatte ich dauernd Angst um sie.
die	**Angst,** die Ängste	In Hamburg hatte ich dauernd Angst um sie.
	ätzend	Alle reden über alle. Ätzend!
der	**Landfrauenverein,** die Land-frauenvereine	Es gibt nur Fußball und Landfrauenvereine.
der	**Dreck**	Großstadt bedeutet Dreck, Lärm und zu viele Menschen.
	nervig	Die hohen Mieten waren nervig.
der	**Kompromiss,** die Kompro-misse	Ein Reihenhaus in einer Kleinstadt ist ein guter Kompromiss.
der/ die	**Jüngste,** die Jüngsten	Wir sind nicht mehr die Jüngsten.
das	**Einkaufszentrum,** die Ein-kaufszentren	Das Einkaufszentrum ist in der Nähe.
	verbieten, er verbietet, er hat verboten	Tiere halten war verboten.
der	**Vergleich,** die Vergleiche	Das ist ein Vergleich zwischen Stadt und Land.

2.4b

2.5

2.6		**ụnwichtig**	. . . .	Für mich ist es unwichtig, dass man einkaufen kann.
2.7	die	**Stạdtgruppe,** *die Stadtgruppen*	. . . .	eine Stadtgruppe bilden
	die	**Lạndgruppe,** *die Landgruppen*	. . . .	eine Landgruppe bilden
	das	**Argumẹnt,** *die Argumente*	. . . .	Sammeln Sie Argumente und tauschen Sie sich aus.

3 Auf Wohnungssuche in Stuttgart

3.1	die	**AB-Whg.** (= *Altbau-Wohnung*)	. . . .	Biete schöne AB-Whg. mit Balkon.
		ZKB (= *Zimmer, Küche + Bad*)	. . . .	Biete schöne AB-Whg., 3 ZKB und Balkon.
	die	**Min.** (= *Minute*)	. . . .	Von der Wohnung sind es 3 Min. zur S-Bahn.
	die	**Kạltmiete**	. . . .	Die Kaltmiete beträgt 820 Euro.
	die	**2-Zi.-Whg**	. . . .	Biete 2-Zi.-Whg. in Stuttgart Mitte.
	der	**NB** (= *Neubau*)	. . . .	Biete 3-Zi.-Whg., NB mit BLK.

der	**BLK** (= Balkon)	....	Biete 3-Zi.-Whg., NB mit BLK.
	ideal	....	Die Wohnung liegt ideal für Flughafenpersonal.
das	**Flughafenpersonal**	....	Die Wohnung liegt ideal für Flughafenpersonal.
die	**1-Zi.-EG-Whg.** (= 1-Zimmer-Erdgeschoss-Wohnung)	....	Die 1-Zi.-EG-Whg. ist möbliert und kostet 350 Euro kalt.
	möbliert	....	Die 1-Zi.-EG-Whg. ist möbliert und kostet 350 Euro kalt.
	plus	....	Die Miete beträgt 365 Euro plus NK.
die	**Lage,** die Lagen	....	Biete schöne AB-Whg. in zentraler Lage.
der	**Stellplatz,** die Stellplätze	....	Biete schöne AB-Whg. mit BLK und Stellplatz.
der	**Hbf.** (= Hauptbahnhof)	....	Von der Wohnung sind es 5 Min. zum Hbf.
die	**Abkürzung,** die Abkürzungen	....	In Wohnungsanzeigen stehen viele Abkürzungen.
das	**Dachgeschoss (DG),** die Dachgeschosse	....	Biete Altbau-Wohnung im DG.
die	**Kaution** (KT), die Kautionen	....	Die Kaution beträgt 400 Euro.
die	**Wohnfläche** (Wfl.), die Wohnflächen	....	Die Wohnung hat eine Wohnfläche von 65 m².

die	**Nebenkosten** (*NK*)(*Pl.*)	. . . .	Die Nebenkosten betragen 125 Euro.
	erfragen, er erfragt, er hat erfragt	. . . .	Erfragen Sie Informationen zu der Wohnung.
	vereinbaren, er vereinbart, er hat vereinbart	. . . .	Ich möchte eine Wohnungsbesichtigung vereinbaren.
3.3	*das* **Partnerspiel,** *die Partnerspiele*	. . . .	Im Kurs haben wir heute ein Partnerspiel gemacht.
	vermieten, er vermietet, er hat vermietet	. . . .	Ruhige, sonnige Whg. im Zentrum Stuttgarts zu vermieten.
	die **Anzeige,** die Anzeigen	. . . .	Ich habe Ihre Anzeige gelesen.

4 Der Umzug

4.1	*die* **Checkliste,** die Checklisten	. . . .	Machen Sie für Ihren Umzug eine Checkliste.
4.1a	*die* **Umzugscheckliste,** *die Umzugschecklisten*	. . . .	Ich muss eine Umzugscheckliste machen.
	der **Babysitter,** die Babysitter	. . . .	Für die Kinder müssen wir einen Babysitter organisieren.

die	**Babysitterin**, die Babysitterinnen	Für die Kinder müssen wir eine Babysitterin organisieren.
	besorgen, er besorgt, er hat besorgt	Wir müssen Umzugskartons besorgen.
der	**LKW (Lastkraftwagen)**, die LKWs (Lastkraftwagen)	Wir brauchen einen LKW.
	bitten (um Hilfe bitten), er bittet um Hilfe, er hat um Hilfe gebeten	Für den Umzug bitten wir Freunde um Hilfe.
der	**Haus<u>r</u>at**	Ich muss den Hausrat einpacken.
der	**Kart<u>o</u>n**, die Kartons	Die Kartons beschriften wir mit Inhalt und Zimmer.
	beschriften, er beschriftet, er hat beschriftet	Die Kartons beschriften wir mit Inhalt und Zimmer.
der	**Inhalt**, die Inhalte	Dagmar schreibt den Inhalt auf die Kartons.
der	**Extrakarton**, die Extrakartons	Jens packt Extrakartons mit dem Waschzeug.
der	**Babybedarf**	Jens packt Extrakartons mit dem Babybedarf.

der	*Helfer, die Helfer*	. . . .	Dagmar packt einen Karton mit Verpflegung für die Helfer.
die	*Helferin, die Helferinnen*	. . . .	Dagmar packt einen Karton mit Verpflegung für die Helferinnen.
das	*Waschzeug*	. . . .	Jens packt Extrakartons mit dem Waschzeug.
der	**Parkplatz,** die Parkplätze	. . . .	Für den Umzug reservieren sie einen Parkplatz.
	erle̱digen, er erledigt, er hat erledigt	. . . .	Dagmar und Jens müssen noch viel erledigen.
	bre̱chen, er bricht, er hat gebrochen	. . . .	Der Kollege hat sich das Bein gebrochen.
	verbre̱nnen (sich), er verbrennt sich, er hat sich verbrannt	. . . .	Ein Kind hat sich an der Hand verbrannt.
	ru̱fen, er ruft, er hat gerufen	. . . .	Jens ruft den Notarzt an.
	ha̱lten, er hält, er hat gehalten	. . . .	Das Kind hält die Hand unter kaltes Wasser.
	kü̱hlen, er kühlt, er hat gekühlt	. . . .	Dagmar kühlt die Stelle mit Eis.

4.1b

4.2a

	reinigen, er reinigt, er hat gereinigt	. . . .	Er reinigt die Wunde.
die	**Wunde**, die Wunden	. . . .	Er reinigt die Wunde.
das	**Pflaster**, die Pflaster	. . . .	Er klebt ein Pflaster auf die Stelle.
die	**Reihenfolge**, die Reihenfolgen	. . . .	Bringen Sie die Fotos in die richtige Reihenfolge.
der	**Unfall**, die Unfälle	. . . .	Beim Umzug ist ein Unfall passiert.
	einräumen, er räumt ein, er hat eingeräumt	. . . .	Ich habe gerade Bücher eingeräumt.
das	**Geschirr**	. . . .	Ich wollte unser Geschirr auspacken.
	auspacken, er packt aus, er hat ausgepackt	. . . .	Ich wollte unser Geschirr auspacken.
	aufpassen, er passt auf, er hat aufgepasst	. . . .	Ich habe nicht aufgepasst.
die	**Salbe**, die Salben	. . . .	Wir hatten sogar Pflaster und Salbe in der Hausapotheke.
die	**Hausapotheke**, die Hausapotheken	. . . .	Wir hatten sogar Pflaster und Salbe in der Hausapotheke.

4.2b

4.2c

4.3	das	**Nasenspray**, die Nasensprays	. . . .	Ich habe Nasenspray zu Hause.
	der	**Verband**, die Verbände	. . . .	Ich habe einen Verband in der Hausapotheke.
	die	**Schere**, die Scheren	. . . .	Wir haben eine Schere zu Hause.
	der	**Tropfen**, die Tropfen	. . . .	Ich habe Tropfen in der Hausapotheke.
4.4		**stoßen**, er stößt, er hat gestoßen	. . . .	Ich habe mir den Kopf gestoßen.
		verletzen (sich), er verletzt sich, er hat sich verletzt	. . . .	Ein Helfer hat sich beim Umzug verletzt.
		glücklicherweise	. . . .	Glücklicherweise ist nichts passiert.
	der	**Notruf**, die Notrufe	. . . .	Wir haben den Notruf gewählt.
4.5a		**schützen**, er schützt, er hat geschützt	. . . .	Meine vier Wände schützen mich vor Regen und Wind.
	das	**Klavier**, die Klaviere	. . . .	Rio Reiser hat eine Wand für sein Klavier.
		sonst	. . . .	Sonst kommst du ja nicht zu mir.

5

5.1b

Die Dorfrocker

gründen, er gründet, er hat gegründet . . . . 2005 haben die Brüder die Gruppe „Dorfrocker" gegründet.

der **Partyschlager**, *die Partyschlager* . . . . Sie machen Partyschlager mit einer Mischung aus Rock- und Volksmusik.

die **Mischung**, *die Mischungen* . . . . Sie machen Partyschlager mit einer Mischung aus Rock- und Volksmusik.

die **Rockmusik** . . . . Sie spielen Rockmusik.

die **Volksmusik** . . . . Sie spielen Volksmusik.

auftreten, er tritt auf, er ist aufgetreten . . . . Die „Dorfrocker" treten im Fernsehen auf.

die **Volksmusiksendung**, *die Volksmusiksendungen* . . . . Die „Dorfrocker" treten in Volksmusiksendungen auf.

eigene, eigener, eigenes . . . . Sie geben auch eigene Konzerte.

ausverkauft . . . . Ihre Konzerte sind oft sehr schnell ausverkauft.

der **Song**, *die Songs* . . . . Den Dialekt hört man oft auch in den Songs der „Dorfrocker".

das	**Album**, die Alben	. . . .	Das Album war 2014 auf Platz 14 der deutschen Album-Charts.
die	**Album-Charts** (Pl.)	. . . .	Das Album war 2014 auf Platz 14 der deutschen Album-Charts.
der	**Refrain**, die Refrains	. . . .	Den Refrain singen alle Konzert-Besucher immer lautstark mit.
	lautstark	. . . .	Den Refrain singen alle Konzert-Besucher immer lautstark mit.
	auffallen, er fällt auf, er ist aufgefallen	. . . .	Was fällt Ihnen an der Sprache im Refrain auf?
	mitsingen, *er singt mit, er hat mitgesungen*	. . . .	Den Refrain singen alle Konzert-Besucher immer lautstark mit.
	gelassen	. . . .	Bei uns ist alles viel gelassener.
	gescheit	. . . .	Wir feiern die Feste wie sie fallen und dann auch gescheit.
der	**Streit**, die Streits	. . . .	Nach einem Bier gibt es auch mal Streit.
	ankommen (auf etw.), es kommt auf etw. an, es ist auf etw. angekommen	. . . .	Wenn es darauf ankommt, halten wir zusammen.

zusammenhalten, sie halten
zusammen, sie haben
zusammengehalten

Wenn es darauf ankommt, halten wir zusammen.

hạlt

Das gefällt mir halt auf dem Land.

5.2b der **Liedtext,** die Liedtexte

Markieren Sie die Wörter im Liedtext.

das **Lied,** die Lieder

Die „Dorfrocker" singen ein Lied.

Übungen

Ü5

Ü1a das **Bewẹrbungsgespräch,** die
Bewerbungsgespräche

Ansgar Klein hat heute ein Bewerbungsgespräch.

Ü2a der **Volleyballverein,** die Volley-
ballvereine

Ein Volleyballverein ist ein Sportverein.

der **Skiclub,** die Skiclubs

Ansgar Klein ist im Skiclub.

Ü2c **ụnzufrieden**

Heute ist er unzufrieden mit seiner Arbeit.

ụninteressant

Ich finde den Volleyballverein uninteressant.

Ü2d **mit Hilfe**

Ergänzen Sie den Satz mit Hilfe der Informationen
auf Seite 127.

Ü3

die	**Landeshauptstadt**, die Landeshauptstädte	. . . . .	Stuttgart ist die Landeshauptstadt von Baden-Württemberg.
	sechstgrößte	. . . . .	Stuttgart ist die sechstgrößte Stadt in Deutschland.
	anreisen, er reist an, er ist angereist	. . . . .	In Stuttgart kann man sogar mit dem Schiff anreisen.
der	**Verkehrsknotenpunkt**, die Verkehrsknotenpunkte	. . . . .	Die Stadt ist ein Verkehrsknotenpunkt.
das	**Ballett**, die Ballette	. . . . .	In Stuttgart gibt es Theater, Oper und Ballett.
	richtig sein (an einem Ort), er ist richtig, er war richtig	. . . . .	Wer Musik liebt, ist in Stuttgart richtig.
der	**Musikverein**, die Musikvereine	. . . . .	Dort gibt es viele Chöre und Musikvereine.
das	**Bundesland**, die Bundesländer	. . . . .	Tannhausen ist ein kleines Dorf im Bundesland Baden-Württemberg.

Ü5a

| die | **Angst (Angst haben um jdn.)**, er hat Angst, er hatte Angst | . . . . . | Sie wollte keine Angst mehr um die Kinder haben. |
| | **dreckig** | . . . . . | Er findet große Städte laut, dreckig und teuer. |

Ü6

	füttern, er füttert, er hat gefüttert	. . . .	Ich musste auf dem Land die Tiere füttern.
das	**Haustier**, die Haustiere	. . . .	Ich konnte in der Stadt kein Haustier haben.

Ü7a

	anonym	. . . .	Im Dorf leben die Menschen anonymer als in der Stadt.
der	**Lerneraufsatz**, die Lerneraufsätze	. . . .	Schreiben Sie einen Lerneraufsatz.
	nicht-passend	. . . .	Streichen Sie das nicht-passende Modalverb.
der	**Tanzkurs**, die Tanzkurse	. . . .	Ich muss mit dem Bus zu meinem Tanzkurs fahren.
die	**5-Personen-WG**, die 5-Personen-WGs	. . . .	Ein Zimmer in einer 5 Personen-WG ist frei.

Ü9b

das	**Extra**, die Extras	. . . .	Zimmer in einer 5 Personen-WG, Extras: Balkon und Garten.
die	**Info**, die Infos	. . . .	Infos gibt es unter 069 25249933.
der	**Nachmieter**, die Nachmieter	. . . .	Nachmieter gesucht!
die	**Nachmieterin**, die Nachmieterinnen	. . . .	Nachmieterin gesucht!

	vollmöbliert	. . . .	Wir bieten eine schöne vollmöblierte Wohnung in der Schlossstraße.
die	**Uniklinik-Nähe**	. . . .	Die Wohnung liegt in Uniklinik-Nähe.
der	**Autostellplatz**, *die Autostell-plätze*	. . . .	Ich suche eine Wohnung mit Autostellplatz.
	weglaufen, *er läuft weg, er ist weggelaufen*	. . . .	Unsere Katze, schwarz, ist am 24.03. weggelaufen.
der	**Umzugsstress**	. . . .	So ein Umzugsstress!
die	**Karteikarte**, *die Karteikarten*	. . . .	Schreiben Sie die Beispielsätze auf eine Karteikarte.
	sterben, *er stirbt, er ist gestorben*	. . . .	Rio Reiser ist in Friesenhagen gestorben.
das	**Weltwissen**	. . . .	Weltwissen ist ein Themenportal im Internet.
die	**Hauptseite**, *die Hauptseiten*	. . . .	Auf der Hauptseite findet man zufällige Artikel.
das	**Themenportal**, *die Themen-portale*	. . . .	Weltwissen ist ein Themenportal im Internet.
	zufällig	. . . .	Auf der Hauptseite findet man zufällige Artikel.
	anlegen, *er legt an, er hat angelegt*	. . . .	Man kann neue Artikel anlegen.

Ü11
Ü13b
Ü14a

das	**Aut*o*renportal**, die Autoren-portale	Im Autorenportal kann man sich als Autor einloggen.
die	**Änderung**, die Änderungen	Alle Surfer können die Änderungen sehen.
die	**Sp*e*nde**, die Spenden	Die Internetseite lebt von Spenden.
der	**Schauspieler**, die Schauspie-ler	Rio Reiser war ein deutscher Schauspieler.
die	**Schauspielerin**, die Schau-spielerinnen	Nina Hoss ist eine deutsche Schauspielerin.
der	**Sol*o*künstler**, die Solokünstler	Er war auch Solokünstler.
die	**Sol*o*künstlerin**, die Solokünst-lerinnen	Sie ist auch Solokünstlerin.
die	**M*a*cht**, die Mächte	Keine Macht für Niemand.
	kr*i*tisch	Reiser war sehr kritisch und politisch.
das	**Tal*e*nte**, die Talente	Der Sänger hatte großes Talent.
das	**C*e*llo**, die Cellos	Er konnte Cello und viele andere Instrumente spielen.
	unfreundlich	Auf dem Bild sieht er unfreundlich aus.

Ü14b

Ü15a

die	**Popmusik**	Volksmusik ist leichte Popmusik für Feste und Feiern.
die	**Art und Weise**	Das ist die Art und Weise, wie man in Bayern Deutsch spricht.
die	**Sammlung**, die Sammlungen	Ein Album ist eine Sammlung von mehreren Musikstücken.
das	**Musikstück**, die Musikstücke	Ein Album ist eine Sammlung von mehreren Musikstücken.
die	**Liedzeile**, die Liedzeilen	Refrains heißen Liedzeilen, die man oft wiederholt.

Ü15b

fallen, er fällt, er ist gefallen	Wir feiern Feste wie sie fallen.
ein wenig	Und nach einem Bier gibt es auch einmal ein wenig Streit.
füreinander da sein	Wir sind füreinander da.
streiten, sie streiten, sie haben gestritten	Manchmal streiten wir.

8 Kultur erleben

Fit für Einheit 8? Testen Sie sich!

der **Stadtmensch,** die Stadtmen- . . . . Bist du ein Stadtmensch?
schen

8 Kultur erleben

die **Stadtbesichtigung,** die Stadt- . . . . Planen Sie ein Programm für eine
besichtigungen Stadtbesichtigung.

der **Theaterbesuch,** die Theater- . . . . Organisieren Sie einen Theaterbesuch.
besuche

Vergangenes . . . . über Vergangenes sprechen und schreiben

das **Ballett** . . . . Ich war noch nie in einem Ballett.

das **Musical,** die Musicals . . . . Ich mag lieber Musicals.

das **Festival,** die Festivals . . . . Ich bin ein Fan von Festivals.

der **Zirkus,** die Zirkusse . . . . Interessierst du dich für Zirkus?

1 **Kulturhauptstädte Europas**

verschiedene · · · · · · · · · Menschen aus verschiedenen Ländern und Kulturen lernen sich besser kennen.

der **Fạll** · · · · · · · · · Kurz vor dem Fall der Berliner Mauer war Berlin Kulturhauptstadt.

die *Regiọn, die Regionen* · · · · · · · · · Die letzte deutsche Kulturhauptstadt war eine ganze Region.

der **Vertrẹter, die Vertreter** · · · · · · · · · Die Stadt Essen war der Vertreter für 53 Städte im RUHR.2010-Projekt.

die **Vertrẹterin, die Vertrete-** · · · · · · · · · Sie war die Vertreterin für andere Städte. **rinnen**

die **Verạnstaltung, die Veranstal-** · · · · · · · · · Es gab über 5.500 Veranstaltungen. **tungen**

das **Erlẹbnis, die Erlebnisse** · · · · · · · · · Die gesperrte A40 war das tollste Erlebnis für mich.

gespẹrrt · · · · · · · · · Die gesperrte A40 war das tollste Erlebnis für mich.

die *Institutiọn, die Institutionen* · · · · · · · · · Auf der Strecke waren Tische von Vereinen, Familien und Institutionen.

lohnen (sich), es lohnt sich, es hat sich gelohnt .... Es lohnt sich.

bewerben (sich um), er bewirbt sich, er hat sich beworben .... Jedes Jahr bewerben sich viele Städte um den Titel Kulturhauptstadt.

feststehen, es steht fest, es hat festgestanden .... Bis 2018 stehen alle Kulturhauptstädte fest.

folgende .... Wir haben auf den folgenden Seiten einige Reisetipps zusammengestellt.

1.1b **bereits** .... Wo war die Person bereits?

1.2 *der* **Wechsel (im Wechsel)** .... Fragen und antworten Sie im Wechsel.

das **Mal,** die Male .... Ich war schon einige Male auf einem Festival.

der **Fan,** die Fans .... Ich bin kein großer Fan von Musicals.

1.3a *die* **Jahreszahl,** die Jahreszahlen .... Ergänzen Sie die Jahreszahlen in der Karte.

vorkommen, es kommt vor, es ist vorgekommen .... Die Jahreszahlen kommen im Artikel vor.

2 Kulturreise: Eindrücke gestern und heute

die	**Kulturreise**, die Kulturreisen	Er macht eine Kulturreise nach Weimar.
der	**Eindruck**, die Eindrücke	Alexandr schreibt seine Eindrücke auf.
der	**Blog-Eintrag**, die Blog-Einträge	Lesen Sie den Blog-Eintrag vom 12. März.
der	**Musiker**, die Musiker	Alexandr spielt Geige und ist Musiker von Beruf.
die	**Musikerin**, die Musikerinnen	Sie ist Musikerin von Beruf. Sie spielt Klavier.
die	**Reise (auf Reisen)**	Alexandr macht eine Reise nach Weimar.
die	**Startseite**, die Startseiten	Auf der Startseite ist der neueste Blog-Eintrag.
die	**Medien** (Pl.)	Unter Medien hat er einige Videos hochgeladen.
die	**Redaktion**, die Redaktionen	Die Redaktion schreibt Blog-Einträge.
	abreisen, er reist ab, er ist abgereist	Ich wollte heute Mittag abreisen.
	fantastisch	Ich finde ihre Arbeiten fantastisch.
der	**Lieblingskomponist**, die Lieblingskomponisten	Franz Liszt ist doch mein Lieblingskomponist.
die	**Lieblingskomponistin**, die Lieblingskomponistinnen	Sie ist meine Lieblingskomponistin.

die	**Lösung**, die Lösungen	Die Lösung? Ich bleibe bis morgen.
das	**Wohnhaus**, die Wohnhäuser	Heute stand Goethes Wohnhaus auf dem Programm.
	außerdem	Außerdem spaziere ich durch den Park.
	montags	Goethes Gartenhaus ist montags leider nicht offen.
	offen	Goethes Gartenhaus ist montags leider nicht offen.
das	**Stadtschloss**, die Stadtschlös-ser	Ich gehe ins Stadtschloss und am Abend ins Nationaltheater.
das	**Werk**, die Werke	„Faust" ist das wichtigste Werk von Goethe.
	schade	Es ist schade, dass ich noch nie in Deutschland im Urlaub war.
der	**Profi**, die Profis	Dort treffen sich Profis, Studenten und natürlich das Publikum.
das	**Publikum**	Dort treffen sich Profis, Studenten und natürlich das Publikum.
	neugierig	Das hat mich neugierig gemacht.

verlieben (sich in), er verliebt sich in, er hat sich in verliebt	. . . . . .	In die kleine Stadt habe ich mich sofort verliebt.
die **Geige**, die Geigen	. . . . . .	Wir spielen heute zusammen Geige.
das **Konzert (ein Konzert geben)**, er gibt ein Konzert, er hat ein Konzert gegeben	. . . . . .	Wir geben ein Konzert.

2.1b

der **Autor**, die Autoren	. . . . . .	J.W. von Goethe ist ein wichtiger Autor.
die **Autorin**, die Autorinnen	. . . . . .	Juli Zeh ist eine wichtige Autorin.
der **Bauhaus-Künstler**, die Bauhaus-Künstler	. . . . . .	Die Bauhaus-Künstler sind einfach klasse!
die **Bauhaus-Künstlerin**, die Bauhaus-Künstlerinnen	. . . . . .	Die Bauhaus-Künstlerinnen sind einfach klasse!

klasse . . . . . . Die Bauhaus-Künstlerinnen sind einfach klasse!

2.1c

ggf. (gegebenenfalls) . . . . . . Sie können ggf. ein Wörterbuch nutzen.

2.2c

starten, er startet, er ist gestartet . . . . . . Alexandr startet den Rundgang am Hotel Elephant.

der	**Rundgang**, die Rundgänge	. . . .	Alexandr startet den Rundgang am Hotel Elephant.
	zuerst	. . . .	Zuerst geht er nach rechts in die Schillerstraße.
2.2d der	**Stichpunkt**, die Stichpunkte	. . . .	Notieren Sie in Stichpunkten Informationen zu den Ausflugszielen.
das	*Ausflugsziel, die Ausflugsziele*	. . . .	Die Anna Amalia Bibliothek ist ein beliebtes Ausflugsziel.
2.3	**unternehmen**, er unternimmt, er hat unternommen	. . . .	Sagen Sie, was Sie unternehmen möchten.
	unbedingt	. . . .	In Goethes Gartenhaus will ich unbedingt.
2.4a	**da haben**, er hat da, er hatte da	. . . .	Ja, wir haben noch Karten da.
der	**Platz**, die Plätze	. . . .	Reservieren Sie mir bitte zwei Plätze.
das	*Parkett, die Parkette/Parketts*	. . . .	Im Parkett ist noch etwas frei.
die	**Ermäßigung**, die Ermäßigungen	. . . .	Bekommen Sie eine Ermäßigung?

der	**Rentner,** die Rentner	. . . .	Studenten und Rentner bekommen die Karten billiger.
die	**Rentnerin,** die Rentnerinnen	. . . .	Studenten und Rentnerinnen bekommen die Karten billiger.
	preisgünstig	. . . .	Schüler bekommen die Karten preisgünstiger.
der	**Nachname,** die Nachnamen	. . . .	Wie war Ihr Nachname?
die	**Abendkasse,** *die Abendkassen*	. . . .	Kann ich die Karten an der Abendkasse abholen?
	Gern geschehen	. . . .	Vielen Dank. Gern geschehen.
2.5	das	**Fußballspiel,** die Fußballspiele	. . . .	Karten für ein Fußballspiel reservieren
2.6a	der	**Sprecher,** *die Sprecher*	. . . .	Der Sprecher spricht dramatisch.
	die	**Sprecherin,** *die Sprecherinnen*	. . . .	Die Sprecherin spricht dramatisch.
		leise	. . . .	Die Sprecherin spricht leise.
		dramatisch	. . . .	Der Sprecher spricht dramatisch.
		fröhlich	. . . .	Der Sprecher spricht fröhlich.
2.6	die	**Anreise,** die Anreisen	. . . .	die Anreise nach Weimar planen
	die	**Abreise,** die Abreisen	. . . .	die Abreise aus Weimar planen

3 Über Vergangenes sprechen und schreiben

3.1a	der	*Blumenladen, die Blumenläden*	....	Alexandr sucht einen Blumenladen.
	der	**Kiosk**, die Kioske	....	An der Ecke gibt es heute einen Kiosk.
3.1b	das	*Kinocenter, die Kinocenter*	....	Früher war hier ein Kinocenter.
3.3	das	*Genie, die Genies*	....	Johann Wolfgang von Goethe – ein Genie mit vielen Interessen
3.3a	die	**Aktion**, die Aktionen	....	Wir haben eine Aktion zu Goethe gemacht.
	der	**Vortrag**, die Vorträge	....	Ich muss morgen einen Vortrag über Goethe halten.
		halten (einen Vortrag halten), er hält einen Vortrag, er hat einen Vortrag gehalten	....	Ich muss morgen einen Vortrag über Goethe halten.
3.3b		*gelten, es gilt, es hat gegolten*	....	Warum gilt Goethe als Universalgenie?
	das	*Universalgenie, die Universalgenies*	....	Warum gilt Goethe als Universalgenie?

allgemein	. . . .	Zuerst sammelt sie ein paar allgemeine Informationen.
die **Geburt**, die Geburten	. . . .	Goethes Geburt war am 28. August 1749.
Jura	. . . .	Er studierte ab 1765 Jura in Leipzig.
der **Anwalt**, die Anwälte	. . . .	Sechs Jahre später arbeitete er als Anwalt.
die **Anwältin**, die Anwältinnen	. . . .	Sechs Jahre später arbeitete sie als Anwältin.
der **Roman**, die Romane	. . . .	Sein erster Roman zeigte, dass er ein Genie war.
unglücklich	. . . .	Goethe verliebte sich unglücklich in Charlotte Buff.
verfassen, *er verfasst, er hat verfasst*	. . . .	Er verfasste seinen ersten Roman in nur vier Wochen.
die **Archäologie**	. . . .	Goethe hatte viele Interessen: Archäologie, Mineralogie und Wetter.
die **Mineralogie**	. . . .	Goethe hatte viele Interessen: Archäologie, Mineralogie und Wetter.
die **Mathematik**	. . . .	Goethe interessierte sich auch für Mathematik.
das **Gedicht**, die Gedichte	. . . .	Er verfasste nicht nur Gedichte und Dramen.
das **Drama**, die Dramen	. . . .	Er verfasste nicht nur Gedichte und Dramen.

	erforschen, *er erforscht, er hat erforscht*	. . . .	Er erforschte zum Beispiel die Farben.
der	**Tod**	. . . .	In „Faust" ist alles drin: Liebe, Leben, Tod und Teufel.
der	**Teufel,** *die Teufel*	. . . .	In „Faust" ist alles drin: Liebe, Leben, Tod und Teufel.
das	**Recht**	. . . .	Goethe studierte Recht in Leipzig.
	weltberühmt	. . . .	Goethe verfasste weltberühmte Gedichte und Dramen.
	forschen, *er forscht, er hat geforscht*	. . . .	Gothe forschte über die Farben.
der	**Infinitivstamm,** *die Infinitivstämme*	. . . .	Ein Infinitivstamm auf -t will immer noch ein -e.
die	**Zeitform,** *die Zeitformen*	. . . .	Vergleichen Sie die Zeitformen.
der	**Stadtführer,** *die Stadtführer*	. . . .	Der Stadtführer erklärt Goethes Leben.
die	**Stadtführerin,** *die Stadtführerinnen*	. . . .	Die Stadtführerin erklärt Goethes Leben.

3.3c
3.4
3.5

3.6	die	**Dreiecksgeschichte**, *die Drei-ecksgeschichten*	Werther, Lotte und Albert haben eine berühmte Dreiecksgeschichte.
3.6a	der	**Schulbuchtext**, *die Schul-buchtexte*	Lesen Sie den Schulbuchtext und sehen Sie die Skizze an.
	die	**Skizze**, *die Skizzen*	Erweitern Sie die Skizze im Heft.
		erweitern, er erweitert, er hat erweitert	Erweitern Sie die Skizze im Heft.
	der	**Romanheld**, *die Romanhelden*	Werther, der Romanheld, berichtet von seiner unglücklichen Liebe.
	die	**Romanheldin**, *die Romanhel-dinnen*	Die Romanheldin berichtet von ihrer unglücklichen Liebe.
	der	**Ball**, *die Bälle*	Er lernt Lotte auf einem Ball kennen.
		verlobt (sein mit), *er ist ver-lobt, er war verlobt*	Lotte ist mit seinem Freund Albert verlobt.
		bewundern, *er bewundert, er hat bewundert*	Sie ist schön und alle bewundern sie.
		liebevoll	Sie kümmert sich liebevoll um ihre acht Geschwister.

tot	. . . .	Ihre Mutter ist tot.
enden, es endet, es hat geen-det	. . . .	Werthers Liebe endet tragisch.
tragisch	. . . .	Werthers Liebe endet tragisch.
bedeuten, es bedeutet, es hat bedeutet	. . . .	Was bedeutet Romanheld?

3.6b

Übungen

Ü

Ü1a

der	**Internet-Artikel**, *die Internet-Artikel*	. . . . Lesen Sie den Internet-Artikel.
das	**Stadtamt**, *die Stadtämter*	. . . . Informationen erhalten Besucher im Stadtamt.
	viertgrößte	Pilsen ist die viertgrößte Stadt in Tschechien.
der	**Bier-Fan**, *die Bier-Fans*	Bier-Fans können in Pilsen ins Bier-Museum gehen.
	kinderfreundlich	Pilsen ist auch kinderfreundlich: man kann in den Zoo gehen.
das	**Kulturhauptstadtjahr**, *die Kulturhauptstadtjahre*	. . . . Im Kulturhauptstadtjahr gibt es mehr als 600 Veranstaltungen.

Ü1c

Ü3a	die	**Kulturhauptstadt-Region**, die Kulturhauptstadt-Regionen	Das Ruhrgebiet war 2010 Kulturhauptstadt-Region.
Ü4b	der	**Reisetipp**, die Reisetipps	Mit den Informationen kann man Reisetipps zusammenstellen.
		zusammenstellen, er stellt zusammen, er hat zusammengestellt	Mit den Informationen kann man Reisetipps zusammenstellen.
Ü5a	der	**Ausdruck**, die Ausdrücke	Sammeln Sie Wörter und Ausdrücke im Blog.
Ü6a	der	**Theaterplatz**, die Theaterplätze	Das berühmte Haus steht am Theaterplatz.
	der	**Intendant**, die Intendanten	Goethe war der erste Intendant, das heißt der Leiter.
	die	**Intendantin**, die Intendantinnen	Sie war die erste Intendantin, das heißt die Leiterin.
	die	**Vorstellung**, die Vorstellungen	Zu seiner Zeit gab es 300 Vorstellungen pro Jahr.
	das	**Exponat**, die Exponate	Das Museum zeigt über 250 Exponate.
	die	**Kunstschule**, die Kunstschulen	Das Museum zeigt Werke von Schülern von der Kunstschule.

	veranstalten, er veranstaltet, er hat veranstaltet	. . . .	Die Hochschule veranstaltet die Weimarer Meisterkurse.
Ü6b	der **Meisterkurs**, die Meisterkurse	. . . .	Die Hochschule veranstaltet die Weimarer Meisterkurse.
Ü9b	das **Phantom**, die Phantome	. . . .	Ich möchte gerne Karten für das Phantom der Oper reservieren.
Ü12b	die **Vorgabe**, die Vorgaben	. . . .	Schreiben Sie mit Hilfe der Vorgaben Sätze.
Ü13	**fernschauen**, er schaut fern, er hat ferngeschaut	. . . .	Heute schaue ich weniger fern.
Ü14a	**verloben (sich)**, er verlobt sich, er hat sich verlobt	. . . .	Goethe verlobt sich 1772 mit Anna Elisabeth Schönemann.
	trennen (sich), sie (Pl.) trennen sich, sie haben sich getrennt	. . . .	Goethe und Anna trennen sich wieder.
der	**Minister**, die Minister	. . . .	Er arbeitet in Weimar als Minister.
die	**Ministerin**, die Ministerinnen	. . . .	Sie arbeitet in Weimar als Ministerin.
Ü15	der **Museumsführer**, die Museumsführer	. . . .	Der Museumsführer berichtet über Walter Gropius.

die	**Museumsführerin**, *die Museumsführerinnen*	. . . .	Die Museumsführerin berichtet über Walter Gropius.
das	**Architekturbüro**, *die Architekturbüros*	. . . .	Walter Gropius hat ein Architekturbüro eröffnet.
	eröffnen, er eröffnet, er hat eröffnet	. . . .	Walter Gropius hat ein Architekturbüro eröffnet.
Ü17	**ver<u>lie</u>bt**	. . . .	Als ich Ada zum ersten Mal gesehen habe, war ich sofort verliebt.
Ü18b	*das* **Goethe-Werk**, *die Goethe-Werke*	. . . .	Goethe-Werke liest er nicht mehr.

Fit für Einheit 9? Testen Sie sich!

die	**Beziehung**, *die Beziehungen*	. . . .	Goethe hatte viele Beziehungen zu Frauen.

9 Arbeitswelten

der	**Berufswunsch**, die Berufswünsche	über Berufswünsche sprechen
die	**Stellenanzeige**, die Stellenanzeigen	Stellenanzeigen stehen in Zeitungen oder im Internet.
der	**Lebenslauf**, die Lebensläufe	Wenn man eine Arbeit sucht, muss man einen Lebenslauf schreiben.
das	**Labor**, die Labore	Andrea arbeitet im Labor.
der	**Stall**, die Ställe	Der Bauer arbeitet viel im Stall.
das	**Feld**, die Felder	Mit dem Traktor fährt er auf das Feld.
der	**Bau**	Ein Bauarbeiter arbeitet auf dem Bau.
das	**Gewächshaus**, die Gewächshäuser	Ein Gärtner arbeitet im Gewächshaus.
die	**Fabrikhalle**, die Fabrikhallen	In der Fabrikhalle stehen viele Maschinen.
die	**Umschulung**, die Umschulungen	Dann habe ich eine Umschulung gemacht.

die	**Zukunft**	. . . .	Umschulung ist ein Schlüssel für die Zukunft.
der	**Mechaniker**, die Mechaniker	. . . .	Er hat eine Ausbildung zum Mechaniker.
die	**Mechanikerin**, die Mechanikerinnen	. . . .	Cindy hat eine Ausbildung zur Mechanikerin in Textiltechnik gemacht.
die	**Textiltechnik**	. . . .	Cindy hat eine Ausbildung zur Mechanikerin in Textiltechnik gemacht.
die	**Bewerbung**, die Bewerbungen	. . . .	Ich habe circa 100 Bewerbungen geschrieben.
der	**Elektroniker für Energie- und Gebäudetechnik**, die Elektroniker für Energie- und Gebäudetechnik	. . . .	Er hat eine Umschulung zum Elektroniker für Energie- und Gebäudetechnik gemacht.
die	**Elektronikerin für Energie- und Gebäudetechnik**, die Elektronikerinnen für Energie- und Gebäudetechnik	. . . .	Cindy hat eine Umschulung zur Elektronikerin für Energie- und Gebäudetechnik gemacht.
die	**Energietechnik**	. . . .	Als Elektroniker für Energietechnik hat man gute Chancen.

die	Geb**au**detechnik	. . . .	Als Elektroniker für Gebäudetechnik hat man gute Chancen.
	j**o**bben, er jobbt, er hat gejobbt	. . . .	Dann hat er in einer Restaurantküche gejobbt.
die	Gro**ß**bäckerei, die Gro**ß**bäcke-reien	. . . .	Drei Tage in der Woche war er in einer Großbäckerei.
	s**e**lbstständig (sich selbst-ständig machen), er macht sich selbstständig, er hat sich selbstständig gemacht	. . . .	Später hat er sich selbstständig gemacht.
der/ die	**A**ngestellte, die Angestellten	. . . .	Heute hat er drei Läden und acht Angestellte.
	fr**oh**	. . . .	Heute bin ich froh, dass ich das gemacht habe.
der	M**ä**dchen-Z**u**kunftstag	. . . .	Der Girl's Day ist ein Mädchen-Zukunftstag.
der	Ber**ei**ch, die Bereiche	. . . .	In den Bereichen Technik, Wissenschaft und Handwerk gibt es viele Berufe.
die	W**i**ssenschaft, die Wissen-schaften	. . . .	In den Bereichen Technik, Wissenschaft und Handwerk gibt es viele Berufe.

das	**Handwerk**, die Handwerke	. . . .	Im Handwerk gibt es viele Berufe mit wenigen Frauen.
die	**Karriere**, die Karrieren	. . . .	Beste Chancen für die Karriere in einem Betrieb.
der	**Betrieb**, die Betriebe	. . . .	Beste Chancen für die Karriere in einem Betrieb.

1 Berufe: Ausbildung, Umschulung

1.1	die	**Magazinseite**, die Magazin-seiten	. . . .	Sehen Sie sich die Magazinseite an.
1.2	der	**Magazin-Beitrag**, die Maga-zin-Beiträge	. . . .	Lesen Sie die Magazin-Beiträge.
		technisch		Sie hat eine technische Ausbildung gemacht.
1.4	die	**Berufserfahrung**, die Berufser-fahrungen	. . . .	Er spricht über seine Berufserfahrung.

2

2.1a Arbeit suchen und finden

die	**Qualifikation**, die Qualifikationen	. . . .	Welche Qualifikationen sollen die Bewerberinnen haben?
der	**Bewerber**, die Bewerber	. . . .	Der Bewerber soll gute Deutschkenntnisse haben.
die	**Bewerberin**, die Bewerberinnen	. . . .	Die Bewerberin soll gute Deutschkenntnisse haben.
der	**Altenpfleger**, die Altenpfleger	. . . .	Wir suchen einen Altenpfleger.
die	**Altenpflegerin**, die Altenpflegerinnen	. . . .	Wir suchen eine Altenpflegerin.
der	**Pflegehelfer**, die Pflegehelfer	. . . .	Er soll eine Ausbildung als Pflegehelfer haben.
die	**Pflegehelferin**, die Pflegehelferinnen	. . . .	Sie soll eine Ausbildung als Pflegehelferin haben.
die	**Deutschkenntnisse** (Pl.)	. . . .	Wir suchen eine Altenpflegerin mit guten Deutschkenntnissen.
die	**Flexibilität**	. . . .	Der Bewerber soll Flexibilität und Teamfähigkeit mitbringen.
die	**Teamfähigkeit**	. . . .	Der Bewerber soll Flexibilität und Teamfähigkeit mitbringen.

der	**PKW**, die PKWs	. . . .	Für den Job braucht man einen eigenen PKW.
die	**Pflege**	. . . .	Wir suchen einen Altenpfleger für die ambulante Pflege.
	ambulant	. . . .	Wir suchen einen Altenpfleger für die ambulante Pflege.
der	**Schichtdienst**, *die Schicht-dienste*	. . . .	Die Arbeit findet im Schichtdienst statt.
	Ambulante Pflegedienste (APD)	. . . .	Man soll die Bewerbung an APD - Ambulante Pflegedienste senden.
der	**Kaufmann**, *die Kaufmänner*	. . . .	Die Firma sucht einen Kaufmann für Büromanagement.
die	**Kauffrau**, *die Kauffrauen*	. . . .	Die Firma sucht eine Kauffrau für Büromanagement.
das	**Büromanagement**	. . . .	Die Firma sucht eine Kauffrau für Büromanagement.
	koordinieren, *er koordiniert, er hat koordiniert*	. . . .	Sie organisieren und koordinieren Termine.
	spannend	. . . .	Sie übernehmen spannende Aufgaben.

der **Bürokaufmann**, die Bürokauf-
    männer
                                        ...... Der Bewerber braucht eine Ausbildung als
                                                Bürokaufmann.

die **Bürokauffrau**, die Bürokauf-
    frauen
                                        ...... Die Bewerberin braucht eine Ausbildung als
                                                Bürokauffrau.

die **Kenntnis**, die Kenntnisse   ...... Der Bewerber soll Kenntnisse in Word, Excel und
                                                Access haben.

höflich   ...... Sie sind höflich und können gut organisieren?

das **Team**, die Teams   ...... Man soll gerne im Team arbeiten.

der **Außenhandel**   ...... Wir suchen eine Kauffrau im Außenhandel.

der **Ausbildungsabschluss**, die   ...... Der Bewerber soll einen Ausbildungsabschluss
    Ausbildungsabschlüsse   haben.

die **Englischkenntnisse** (Pl.)   ...... Der Bewerber braucht Englischkenntnisse.

die **Computerkenntnisse** (Pl.)   ...... Der Bewerber braucht Computerkenntnisse.

die **Mobilität**   ...... Der Bewerber soll Mobilität und Flexibilität
                                                mitbringen.

die **Auslandstätigkeit**, die Aus-   ...... Die Firma bietet eine interessante
    landstätigkeiten   Auslandstätigkeit.

die	**Sozialleistung,** *die Sozial-* *leistungen*	. . . .	Die Firma bietet attraktive Sozialleistungen.
der	**Maurer,** *die Maurer*	. . . .	Wir suchen einen Maurer.
die	**Maurerin,** *die Maurerinnen*	. . . .	Wir suchen eine Maurerin.
der	**Berufsanfänger,** *die Berufsan-* *fänger*	. . . .	Wir stellen auch Berufsanfänger ein.
die	**Berufsanfängerin,** *die Berufs-* *anfängerinnen*	. . . .	Wir stellen auch Berufsanfängerinnen ein.
der	**Führerschein,** *die Führer-* *scheine*	. . . .	Für den Job braucht man einen Führerschein.
die	**Vollzeit**	. . . .	Sie arbeiten auf Baustellen in Vollzeit.
die	**Fremdsprachenkenntnisse** *(Pl.)*	. . . .	Für die Arbeitsstelle braucht man Fremdsprachenkenntnisse.
die	**Berufsrecherche,** *die Berufs-* *recherchen*	. . . .	Wählen Sie einen Beruf aus und machen Sie eine Berufsrecherche.
	präsentieren, er präsentiert, er hat präsentiert	. . . .	Präsentieren Sie die Ergebnisse im Kurs.

2.3a

	*pers**ö**nliche Daten (Pl.)*	Der Lebenslauf beginnt mit den persönlichen Daten.
	persönlich	Zum Vorstellungsgespräch kommt man persönlich.
die	**Anschrift,** *die Anschriften*	Die Anschrift ist Ahornweg 23, 53177 Bonn.
die	**Schulausbildung,** *die Schulausbildungen*	Sie hat ihre Schulausbildung mit dem Abitur abgeschlossen.
der	**Abschluss,** die Abschlüsse	Sie hat einen Abschluss in Wirtschaft gemacht.
das	**Abitur**	Sie hat ihre Schulausbildung mit dem Abitur abgeschlossen.
der	**Industriekaufmann,** *die Industriekaufmänner*	Danach hat er eine Ausbildung zum Industriekaufmann gemacht.
die	**Industriekauffrau,** *die Industriekauffrauen*	Danach hat sie eine Ausbildung zur Industriekauffrau gemacht.
die	**Buchhaltung**	Sie hat fünf Jahre in der Buchhaltung gearbeitet.
die	**Sachbearbeitung**	Von 2009 bis 2015 hat sie in der Sachbearbeitung gearbeitet.
der	**Schulabschluss,** *die Schulabschlüsse*	Ihr Schulabschluss ist das Abitur.

2.3b

Sehr geehrte/r... .... Sehr geehrter Herr Bach / Sehr geehrte Frau Bach

senden, er sendet, er hat gesendet .... Meinen Lebenslauf sende ich Ihnen als Anhang.

der **Anhang,** die Anhänge .... Meinen Lebenslauf sende ich Ihnen als Anhang.

Mit freundlichen Grüßen .... Mit freundlichen Grüßen Kristina Gärtner

2.3c der **Vogel,** die Vögel .... Ich kann einen Vogel imitieren.

imitieren, er imitiert, er hat imitiert .... Ich kann einen Vogel imitieren.

3

3.1 **Berufswünsche: Eigentlich wollte ich Ärztin werden**

der **Kapitän,** die Kapitäne .... Als Kind wollte ich Kapitän werden.

der **Filmstar,** die Filmstars .... Als Kind wollte ich Filmstar werden.

der **Sänger,** die Sänger .... Mit 18 Jahren wollte ich Sänger werden.

die **Sängerin,** die Sängerinnen .... Mit 18 Jahren wollte ich Sängerin werden.

der **Bauer,** die Bauern .... Als Kind wollte ich Bauer werden.

die **Bäuerin,** die Bäuerinnen .... Als Kind wollte ich Bäuerin werden.

3.2b

Geschichte . . . . Ich habe Geschichte studiert, denn das Fach war interessant.

das **Fach**, *die Fächer* . . . . Ich habe Geschichte studiert, denn das Fach war interessant.

der/ **Jugendliche**, *die Jugendlichen*
die . . . . Als Jugendlicher wollte ich Biologe werden.

. . . . Als Jugendlicher wollte ich Biologe werden.

der **Biologe**, *die Biologen* . . . . Als Jugendliche wollte ich Biologin werden.

die **Biologin**, *die Biologinnen* . . . . Als Jugendliche wollte ich Biologin werden.

3.4

toi, toi, toi . . . . Toi, toi, toi wünscht Karl Moik aus Hanoi.

neunundneunzig . . . . In neunundneunzig Träumen wächst die Zeit noch auf Bäumen.

wachsen, *er wächst, er ist gewachsen* . . . . In neunundneunzig Träumen wächst die Zeit noch auf Bäumen.

kauen, *er kaut, er hat gekaut* . . . . Frauen kauen Kaugummis.

3.5a

der **Facharbeiter**, *die Facharbeiter* . . . . Mein Vater war Facharbeiter für Elektrotechnik.

die **Facharbeiterin**, *die Facharbeiterinnen* . . . . Meine Mutter war Facharbeiterin für Elektrotechnik.

3.5d	der	**Pr<u>a</u>ktikumsplatz,** *die Prakti-kumsplätze*	. . . .	Ich habe einen Praktikumsplatz gesucht.
3.6b		**<u>u</u>mschulen,** *er schult um, er hat umgeschult*	. . . .	Nach der Ausbildung hat er auf Bäcker umgeschult.
	die	**<u>A</u>nmeldung,** *die Anmel-dungen*	. . . .	Die Anmeldung findet von 15 Uhr bis 16 Uhr statt.
	das	**Priv<u>a</u>tgrundstück,** *die Privat-grundstücke*	. . . .	Auf dem Privatgrundstück ist parken verboten.
3.6c		**p<u>a</u>rken,** *er parkt, er hat geparkt*	. . . .	Hier darf man nicht parken.
		betr<u>e</u>ten, *er betritt, er hat betreten*	. . . .	Man darf die Baustelle nicht betreten.
		h<u>a</u>ften (für), *er haftet, er hat gehaftet*	. . . .	Eltern haften für ihre Kinder.
3.7		**n<u>a</u>chschlagen,** *er schlägt nach, er hat nachgeschla-gen*	. . . .	Er hat den Konjunktiv in der Grammatik nachgeschlagen.

4 Höflichkeit am Arbeitsplatz: Der Ton macht die Musik

die	**Höflichkeit**	. . . .	Höflichkeit ist am Arbeitsplatz besonders wichtig.
der	*Ton, die Töne*	. . . .	Der Ton macht die Musik.
4.1	**aufmachen,** er macht auf, er hat aufgemacht	. . . .	Könnten Sie mal die Tür aufmachen?
	zurückrufen, er ruft zurück, er hat zurückgerufen	. . . .	Kann ich Sie morgen zurückrufen?
4.2	**entschuldigen (sich für),** er entschuldigt sich, er hat sich entschuldigt	. . . .	Höfliches Sprechen heißt, dass man sich entschuldigt.
	unhöflich	. . . .	Auf Deutsch kann auch ein Satz mit „bitte" und „danke" unhöflich sein.
die	*Intonation*	. . . .	Es kommt auf die Intonation an.
	unfreundlich	. . . .	Man kann einen Satz freundlich oder unfreundlich betonen.
die	*Körpersprache, die Körpersprachen*	. . . .	Auch die Körpersprache kann Höflichkeit ausdrücken.

	ausdrücken, er drückt aus, er hat ausgedrückt	. . . . .	Auch die Körpersprache kann Höflichkeit ausdrücken.
der	**Dialogpartner**, die Dialogpartner	. . . . .	Darf man dem Dialogpartner direkt in die Augen schauen?
die	**Dialogpartnerin**, die Dialogpartnerinnen	. . . . .	Darf man der Dialogpartnerin direkt in die Augen schauen?
	direkt	. . . . .	In Deutschland sollte man Dialogpartnern direkt in die Augen schauen.
die	**Stimme**, die Stimmen	. . . . .	Auf Englisch ist eine hohe Stimme am Satzanfang höflich.
4.3	**zuhören**, er hört zu, er hat zugehört	. . . . .	Am besten ist, Sie hören genau zu.
	zumachen, er macht zu, er hat zugemacht	. . . . .	Könntest du bitte das Fenster zumachen?
das	**Taschentuch**, die Taschentücher	. . . . .	Hättest du ein Taschentuch für mich?
das	**Treffen**, die Treffen	. . . . .	Hätten Sie morgen Zeit für ein Treffen?
4.6	**hinterlassen**, er hinterlässt, er hat hinterlassen	. . . . .	Frau Kalbach möchte keine Nachricht hinterlassen.

4.7b

der	**Rückruf,** die Rückrufe	. . . .	Herr Grunow bittet um Rückruf.
	dringend	. . . .	Er braucht dringend einen Termin mit Herrn Tauber.
	notieren, er notiert, er hat notiert	. . . .	Herr Döpel notiert ihre Frage.
	unterbrechen, er unterbricht, er hat unterbrochen	. . . .	Entschuldigung, dass ich Sie unterbreche.
	verbinden (sich verbinden lassen), er lässt sich verbinden, er hat sich verbinden lassen	. . . .	Könnten Sie mich bitte mit Frau Döpel verbinden.
	bedanken (sich), er bedankt sich, er hat sich bedankt	. . . .	Er bedankt sich für die Hilfe.
	verabschieden (sich), er verabschiedet sich, er hat sich verabschiedet	. . . .	Er verabschiedet sich von Herrn Granzow.
die	**Auskunft,** die Auskünfte	. . . .	Vielen Dank für die Auskunft.

Ü Übungen

Ü1a

der	**Tierarzt,** *die Tierärzte*	. . . .	Horst arbeitet als Tierarzt.
die	**Tierärztin,** *die Tierärztinnen*	. . . .	Heike arbeitet als Tierärztin.
der	**Landschaftsarchitekt,** *die Landschaftsarchitekten*	. . . .	Er berichtet von seinem Beruf als Landschaftsarchitekt.
die	**Landschaftsarchitektin,** *die Landschaftsarchitektinnen*	. . . .	Sie berichtet von ihrem Beruf als Landschaftsarchitektin.

Ü2a

| | **zurzeit** | . . . . | Cindy ist zurzeit arbeitslos. |
| das | **Gerät,** *die Geräte* | . . . . | Mehmet Güler repariert gerne elektrische Geräte. |

Ü3a

die	**Wortliste,** *die Wortlisten*	. . . .	Wählen Sie das richtige Wort aus der Wortliste.
die	**Lücke,** *die Lücken*	. . . .	Setzen Sie das richtige Wort in jede Lücke.
	übrig bleiben, *es bleibt übrig, es ist übrig geblieben*	. . . .	Einige Wörter bleiben übrig.
die	**Industrie,** *die Industrien*	. . . .	Beim Girls' Day gibt es Informationen über Berufe in der Industrie.
die	**Girls' Day-Teilnehmerin,** *Girls' Day-Teilnehmerinnen*	. . . .	Viele Girls' Day-Teilnehmerinnen arbeiten heute im Technikbereich.

der	**Technikbereich**, *die Technikbereiche*	. . . .	Viele Girls' Day-Teilnehmerinnen arbeiten heute im Technikbereich.
Ü4a der	**Kinderkrankenpfleger**, *die Kinderkrankenpfleger*	. . . .	Die Ausbildung zum Kinderkrankenpfleger dauert vier Jahre.
die	**Kinderkrankenpflegerin**, *die Kinderkrankenpflegerinnen*		Die Ausbildung zur Kinderkrankenpflegerin dauert vier Jahre.
Ü5a die	**Büroaufgabe**, *die Büroaufgaben*	. . . .	Ein Kaufmann für Büromanagement organisiert Büroaufgaben.
	kaufmännisch		Außerdem hat man kaufmännische Tätigkeiten.
das	**Unternehmen**, *die Unternehmen*		Man arbeitet in der Verwaltung von Unternehmen.
der	**Öffentliche Dienst**	. . . .	Man arbeitet im öffentlichen Dienst.
die	**Ausbildungszeit**, *die Ausbildungszeiten*		Die Ausbildungszeit dauert drei Jahre.
der	**Hausbau**	. . . .	Ein Maurer baut Mauern, zum Beispiel im Hausbau.
die	**Ware**, *die Waren*	. . . .	Ein Kaufmann im Außenhandel kauft Waren und verkauft sie weiter.

weiterverkaufen, er verkauft weiter, er hat weiterverkauft	. . . .	Ein Kaufmann im Außenhandel kauft Waren und verkauft sie weiter.
der **Handel**	. . . .	Er verkauft die Waren an Handel, Handwerk und Industrie.
das **Altenheim**, die Altenheime	. . . .	Man arbeitet oft in Altenheimen.
Üsd **ordentlich**	. . . .	Der Bewerber soll ordentlich sein.
Ü6 der **Computerkurs**, die Computerkurse	. . . .	In der Schule hatte ich einen Computerkurs.
dreijährig	. . . .	Nach der Schule muss ich eine dreijährige Ausbildung machen.
der **Spiele-Designer**, die Spiele-Designer	. . . .	Nach der Schule muss ich eine Ausbildung zum Spiele-Designer machen.
die **Spiele-Designerin**, die Spiele-Designerinnen	. . . .	Nach der Schule muss ich eine Ausbildung zur Spiele-Designerin machen.
die **Mediendesign-Hochschule**, Mediendesign-Hochschulen	. . . .	Ich kann auch an einer Mediendesign-Hochschule studieren.
Ü7 das **Passfoto**, die Passfotos	. . . .	Rechts oben kommt das Passfoto hin.

das	**Geburtsdatum,** *die Geburts-daten*	. . . .	Am Anfang stehen die persönlichen Daten, wie Geburtsdatum, Geburtsort.
der	**Geburtsort,** *die Geburtsorte*	. . . .	Am Anfang stehen die persönlichen Daten, wie Geburtsdatum, Geburtsort.
	hinkommen, *er kommt hin, er ist hingekommen*	. . . .	Rechts oben kommt das Passfoto hin.

Ü8a

der	**Tanz,** die Tänze	. . . .	Warum hat Katja Tanz studiert?
die	**Ballerina,** *die Ballerinas*	. . . .	Als Kind wollte sie Ballerina werden.
der	**Dolmetscher,** *die Dolmetscher*	. . . .	Als Kind wollte er Dolmetscher werden.
die	**Dolmetscherin,** *die Dolmet-scherinnen*	. . . .	Als Kind wollte sie Dolmetscherin werden.
der	**Tänzer,** die Tänzer	. . . .	Ich wollte Tänzer werden und habe Tanz studiert.
die	**Tänzerin,** *die Tänzerinnen*	. . . .	Ich wollte Tänzerin werden und habe Tanz studiert.
der	**Fitnesstrainer,** *die Fitness-trainer*	. . . .	Aber ich arbeite auch als Fitnesstrainer.
die	**Fitnesstrainerin,** *die Fitness-trainerinnen*	. . . .	Aber ich arbeite auch als Fitnesstrainerin.

Ü9		**wenige**	. . . .	Es gibt wenige Stellen für Architekten.
	der	**Archite̱kt**, die Architekten	. . . .	Es gibt wenige Stellen für Architekten.
	die	**Archite̱ktin**, die Architek-tinnen	. . . .	Es gibt wenige Stellen für Architektinnen.
	die	**Te̱ilzeit**	. . . .	Mareike arbeitet in Teilzeit.
Ü10	der	**Deutschtest**, die Deutschtests	. . . .	Sie möchte den Deutschtest schaffen.
		tabella̱risch	. . . .	Für die Bewerbung braucht sie einen tabellarischen Lebenslauf.
	die	**Da̱ten** (Pl.)	. . . .	Die persönlichen Daten stehen am Anfang.
Ü11a	die	**Le̱istung**, die Leistungen	. . . .	Wie sind Ihre Leistungen in Deutsch?
Ü12		**perfe̱kt**	. . . .	Beim Schreiben bin ich nicht perfekt.
		de̱shalb	. . . .	Ich mache deshalb einen Französischkurs.
Ü16	die	**Gebäudetechnik**, die Gebäudetechniken	. . . .	Wir haben mit der Gebäudetechnik im Haus Probleme.
	der	**Ele̱ktriker**, die Elektriker	. . . .	Wir brauchen einen Elektriker.
	die	**Ele̱ktrikerin**, die Elektrike-rinnen	. . . .	Wir brauchen eine Elektrikerin.

danke schön . . . . Danke schön und auf Wiederhören.

Station 3

1 **Berufsbilder**

1.1 der **Ergotherapeut**, die Ergothera- . . . . Ein Ergotherapeut arbeitet mit Patienten.
peuten

die **Ergotherapeutin**, die Ergothe- . . . . Eine Ergotherapeutin arbeitet mit Patienten.
rapeutinnen

1.1a der **Gesundheitsberuf**, die . . . . Ärzte und Ergotherapeuten sind
Gesundheitsberufe Gesundheitsberufe.

1.1b **bewegen**, er bewegt, er hat . . . . Die Patienten können sich nicht richtig bewegen.
bewegt

die **Therapie**, die Therapien . . . . Die Ergotherapeuten planen die Therapie mit den
Ärzten zusammen.

der	**Fachschulunterricht**	. . . .	Der Fachschulunterricht ist eine Mischung aus Theorie und praktischer Arbeit.
die	**Theorie**, *die Theorien*	. . . .	Der Fachschulunterricht ist eine Mischung aus Theorie und praktischer Arbeit.
der	**Berufsalltag**	. . . .	Wir lernen den Berufsalltag in vier Praktika kennen.
das	**Seniorenheim**, *die Seniorenheime*	. . . .	Zurzeit macht sie ein Praktikum in einem Seniorenheim.
	alltäglich	. . . .	Anna übt mit den alten Menschen alltägliche Bewegungen.
	hyperaktiv	. . . .	Sie hat auch schon mit hyperaktiven Kindern gearbeitet.
	konzentrieren (sich), *er konzentriert sich, er hat sich konzentriert*	. . . .	Hyperaktive Kinder können sich nur schwer konzentrieren.
	nachbauen, *er baut nach, er hat nachgebaut*	. . . .	Sie hat mit den Kindern das Nachbauen von Strukturen geübt.
die	**Struktur**, *die Strukturen*	. . . .	Sie hat mit den Kindern das Nachbauen von Strukturen geübt.

	konzentriert	. . . .	Sie sollen so das konzentrierte Spielen lernen.
das	**Ausbildungsjahr**, die Ausbildungsjahre	. . . .	Anna ist im dritten Ausbildungsjahr.
die	**Berufsfachschule**, die Berufsfachschulen	. . . .	Sie lernt an einer Berufsfachschule.
die	**Kursstatistik**, die Kursstatistiken	. . . .	Machen Sie eine Kursstatistik.
	einsammeln, er sammelt ein, er hat eingesammelt	. . . .	Sammeln Sie die Zettel ein.
	aufspringen, er springt auf, er ist aufgesprungen	. . . .	Jede Gruppe springt bei „ihrem" Artikel auf.
	aufstellen (sich), er stellt sich auf, er hat sich aufgestellt	. . . .	Die Gruppe stellt sich im Kreis auf.
der	**Kreis**, die Kreise	. . . .	Die Gruppe stellt sich im Kreis auf.

2   Wörter – Spiele – Training

2.1	das	**Beruferaten**	. . . .	Heute spielen wir Beruferaten im Kurs.

2.1a	der	**Au**tomechaniker, *die Auto-mechaniker*
		.... Der Automechaniker repariert Autos.
	die	**Au**tomechanikerin, *die Auto-mechanikerinnen*
		.... Die Automechanikerin repariert Autos.
2.1b		**fünf**mal
		.... Nach fünfmal „nein" hat die Gruppe gewonnen.
		tagsüber
		.... Arbeitest du tagsüber oder nachts?
		nachts
		.... Arbeitest du tagsüber oder nachts?
2.2		**setz**en (sich), *er setzt sich, er hat sich gesetzt*
		.... Die Teilnehmer setzen sich Rücken an Rücken.
2.4a		**zusamm**enzählen, *er zählt zusammen, er hat zusam-mengezählt*
		.... Zählen Sie die Punkte in der Tabelle zusammen.
	die	**Auf**lösung, *die Auflösungen*
		.... Die Auflösung finden Sie auf Seite 248.
		einziger, *einziges, einzige*
		.... Ich kenne keinen einzigen Nachbarn.
	das	**Straß**encafé, *die Straßencafés*
		.... In meiner Freizeit bin ich am liebsten im Straßencafé.
		total
		.... Natur ist total langweilig.
	die	**Park**platzsuche
		.... Ich hasse Parkplatzsuche.

der	**Flughafen**, die Flughäfen	Zu Hause heißt für mich schnell zum Flughafen kommen.

3 Filmstation

3.1b	der	**Landwirt**, die Landwirte	Der Landwirt füttert die Tiere und reinigt den Stall.
	die	**Landwirtin**, die Landwirtinnen	Die Landwirtin füttert die Tiere und reinigt den Stall.
3.1c	die	**Landwirtschaft**	Melanie findet die Arbeit in der Landwirtschaft langweilig.
3.1d	die	**Milchkönigin**, die Milchköniginnen	Melanie ist Milchkönigin und informiert über Landwirtschaft.
3.2	der	**Weltruf**	Weimar ist eine Kleinstadt mit Weltruf.
3.2c	der	**Höhepunkt**, die Höhepunkte	Die Bibliothek ist ein Höhepunkt für jede Reisegruppe.
	die	**Reisegruppe**, die Reisegruppen	Die Bibliothek ist ein Höhepunkt für jede Reisegruppe.
		weltoffen	Noriko gefällt die weltoffene Art der Bewohner.

der	**Weimarer**, *die Weimarer*	. . . .	Viele Weimarer haben den Brand nicht vergessen.
die	**Weimarerin**, *die Weimare-rinnen*	. . . .	Viele Weimarerinnen haben den Brand nicht vergessen.
3.2d die	**Persönlichkeit**, *die Persönlich-keiten*	. . . .	In der Stadt haben viele berühmte Persönlichkeiten gewohnt.

4 Magazin

die	**Nachrichten** (Pl.)	. . . .	In vielen Nachrichten spielen Tiere eine wichtige Rolle.
die	**Rolle (eine wichtige Rolle spielen)**, *er spielt eine wich-tige Rolle, er hat eine wich-tige Rolle gespielt*	. . . .	In vielen Nachrichten spielen Tiere eine wichtige Rolle.
das	**Jahrhundert**, *die Jahrhunderte*	. . . .	Menschen und Tiere leben seit Jahrhunderten zusammen.
	menschlich	. . . .	Menschen finden es witzig, wenn Tiere menschlich sind.
	unersetzlich	. . . .	Als Mensch ist er unersetzlich.

Tierisches	⋮	Die Zeitung berichtet Tierisches aus aller Welt.
das **Feuerdrama**, *die Feuerdramen*	⋮	Feuerdrama in Bayern: Ronja rettet Familie das Leben.
wau	⋮	Ein Hund macht wau.
die **Husky-Hündin**, *die Husky-Hündinnen*	⋮	Die Husky-Hündin Ronja hat ihrem Frauchen das Leben gerettet.
das **Frauchen**, *die Frauchen*	⋮	Die Husky-Hündin Ronja hat ihrem Frauchen das Leben gerettet.
brennen, *es brennt, es hat gebrannt*	⋮	Das Haus brannte schon bis zum Dach.
bellen, *er bellt, er hat gebellt*	⋮	Ronja bellte laut und sprang auf das Bett von Heidi.
wecken, *er weckt, er hat geweckt*	⋮	Die Frau weckte ihre Töchter und ihren Mann.
der **Bürgermeister**, *die Bürger-meister*	⋮	Der Bürgermeister von Lembach bedankt sich bei Ronja.
die **Bürgermeisterin**, *die Bürger-meisterinnen*	⋮	Die Bürgermeisterin von Lembach bedankt sich bei Ronja.

die	**Rettung**, *die Rettungen*	. . . .	Es war eine Rettung in letzter Minute.
das	**Zuhause**	. . . .	Die Familie hat jetzt kein Zuhause mehr.
der	**Schönheitswettbewerb**, *die Schönheitswettbewerbe*	. . . .	Eine Kuh gewinnt den Schönheitswettbewerb.
	schwarz-weiß	. . . .	Das schwarz-weiß gefleckte Tier gewann den ersten Preis.
	gefleckt	. . . .	Das schwarz-weiß gefleckte Tier gewann den ersten Preis.
der	**Landkreis**, *die Landkreise*	. . . .	Die Kuh aus dem Landkreis Osnabrück setzte sich durch.
	durchsetzen (sich), *er setzt sich durch, er hat sich durchgesetzt*	. . . .	Die Kuh aus dem Landkreis Osnabrück setzte sich durch.
der	**Konkurrent**, *die Konkurrenten*	. . . .	Sie setzte sich gegen 215 Konkurrenten durch.
die	**Konkurrentin**, *die Konkurrentinnen*	. . . .	Sie setzte sich gegen 215 Konkurrentinnen durch.
der	**Zuschauer**, *die Zuschauer*	. . . .	Die Zuschauer waren begeistert.

die	**Zuschauerin**, *die Zuschauerinnen*	Die Zuschauer waren begeistert.
	begeistert	Die Zuschauer waren begeistert.
die	**Jury**, *die Jurys*	Die Jury wählte sie schon einmal zur Sieger-Kuh.
die	**Sieger-Kuh**, *die Sieger-Kühe*	Die Jury wählte sie schon einmal zur Sieger-Kuh.
der	**Promi**, *die Promis*	Da haben wir jetzt einen echten Promi im Stall.
der	**Besitzer**, *die Besitzer*	Der Besitzer freute sich.
die	**Besitzerin**, *die Besitzerinnen*	Die Besitzerin freute sich.
das	**Model**, *die Models*	Wie bei menschlichen Models ist gutes Aussehen ein Muss.
das	**Aussehen**	Wie bei menschlichen Models ist gutes Aussehen ein Muss.
die	**Figur**, *die Figuren*	Eine gute Figur ist ein absolutes Muss für die Kühe.
	absolut	Eine gute Figur ist ein absolutes Muss für die Kühe.
das	**Fußball-Orakel**, *die Fußball-Orakel*	Der Krake Paul wurde als Fußball-Orakel berühmt.
der	**Krake**, *die Kraken*	Der Krake Paul wurde als Fußball-Orakel berühmt.

voraussagen, er sagt voraus, er hat vorausgesagt	. . . .	Paul sagte fast alle Spiele richtig voraus.
die **Fußball-Europameisterschaft**	. . . .	Bei der Fußball-Europameisterschaft 2008 sagte er alle Spiele richtig voraus.
die **Fußball-Weltmeisterschaft**	. . . .	Bei der Fußball-Weltmeisterschaft 2010 sagte er alle Spiele richtig voraus.
die **Glas-Box**, die Glas-Boxen	. . . .	Einige Tage vorher wurden zwei Glas-Boxen in das Aquarium gesenkt.
senken, er senkt, er hat gesenkt	. . . .	Einige Tage vorher wurden zwei Glas-Boxen in das Aquarium gesenkt.
die **Box**, die Boxen	. . . .	Paul fraß sein Futter aus einer Box.
das **Futter**	. . . .	In den Boxen war Wasser und Futter.
die **Nationalflagge**, die National-flaggen	. . . .	Auf einer Seite waren die Nationalflaggen.
gegeneinander	. . . .	Die Länder mussten gegeneinander spielen.
fressen, er frisst, er hat gefressen	. . . .	Paul fraß sein Futter aus einer Box.
die **WM** (=Weltmeisterschaft)	. . . .	Bei der WM 2010 wählte er acht Mal richtig aus.

die	**Sieger-Flagge**, *die Sieger-Flaggen*	......	Er wählte acht Mal richtig die Box mit der Sieger-Flagge aus.
das	**Finale**, *die Finale*	......	Er sagte auch den Sieg Spaniens im Finale voraus.
der	**Orakel-Krake**, *die Orakel-Kraken*	......	Kein anderer Orakel-Krake hatte so oft Recht wie Paul.
	schießen, *er schießt, er hat geschossen*	......	In Bulgarien hat ein Hund auf sein Herrchen geschossen.
der	**Jäger**, *die Jäger*	......	Der Hund hat den Jäger leicht verletzt.
die	**Jägerin**, *die Jägerinnen*	......	Der Hund hat die Jägerin leicht verletzt.
das	**Herrchen**, *die Herrchen*	......	In Bulgarien hat ein Hund auf sein Herrchen geschossen.
das	**Unglück**	......	Das Unglück passierte im Nordosten des Landes.
die	**Jagd**, *die Jagden*	......	Der Mann war auf der Jagd und hat auf einen Vogel geschossen.
das	**Gewehr**, *die Gewehre*	......	Der Mann hat den Hund mit dem Gewehr geschlagen.
	schlagen, *er schlägt, er hat geschlagen*	......	Der Mann hat den Hund mit dem Gewehr geschlagen.

treten (auf etw.), *er tritt, er ist getreten*	. . . .	Dabei ist der Hund auf den Abzug getreten.
der **Abzug**, *der Abzüge*	. . . .	Dabei ist der Hund auf den Abzug getreten.
der **Schuss**, *die Schüsse*	. . . .	Der Schuss hat den Jäger getroffen.
betrunken	. . . .	Die Tiere sind betrunken durch den Wald gelaufen.
der **Elch**, *die Elche*	. . . .	Aggressive betrunkene Elche sind ganz normal im Herbst.
randalieren, *er randaliert, er hat randaliert*	. . . .	Betrunkene schwedische Elche randalieren vor Seniorenheim.
der **Genuss**, *die Genüsse*	. . . .	Die großen Tiere waren nach dem Genuss von Äpfeln außer Kontrolle.
faul	. . . .	Viele Äpfel sind faul und enthalten Alkohol.
die **Kontrolle (außer Kontrolle)**	. . . .	Die großen Tiere waren nach dem Genuss von Äpfeln außer Kontrolle.
der **Polizist**, *die Polizisten*	. . . .	Polizisten mit Hunden mussten die Bewohner schützen.
die **Polizistin**, *die Polizistinnen*	. . . .	Polizistinnen mit Hunden mussten die Bewohner schützen.

das **Polizeikommando**, die Polizeikommandos . . . . Auch ein Polizeikommando mit Hunden konnte die Elche nicht stoppen.

stoppen, er stoppt, er hat gestoppt . . . . Auch ein Polizeikommando mit Hunden konnte die Elche nicht stoppen.

der **Polizeisprecher**, die Polizeisprecher . . . . Der Polizeisprecher sagte: „Das ist ganz normal im Herbst."

die **Polizeisprecherin**, die Polizeisprecherinnen . . . . Die Polizeisprecherin sagte: „Das ist ganz normal im Herbst."

aggressiv . . . . Aggressive betrunkene Elche sind ganz normal im Herbst.

der **Apfelfan**, die Apfelfans . . . . Die Tiere sind richtige Apfelfans.

der **Boden**, die Böden . . . . Viele Äpfel, die am Boden liegen, enthalten Alkohol.

normalerweise . . . . Der Elch ist normalerweise ein sehr friedliches Tier.

friedlich . . . . Der Elch ist normalerweise ein sehr friedliches Tier.

das **Tierheim**, die Tierheime . . . . Im Tierheim Berlin finden verschiedene Veranstaltungen statt.

das	**Familienwochenende**, *die Familienwochenenden*	Am 25. und 26. Juli ist das Familienwochenende.
das	**Spendenkonto**, *die Spendenkonten*	Das Tierheim hat ein Spendenkonto.
das	<u>Ei</u>**chhörnchen**, *die Eichhörnchen*	Ein Eichhörnchen unterbricht das Champions-League-Spiel.
das	**Champions-League-Spiel**, *die Champions-League-Spiele*	Ein Eichhörnchen unterbricht das Champions-League-Spiel.
der	**M**<u>e</u>**dienstar**, *die Medienstars*	Das kleine Tier wird in England zum Medienstar.
	r<u>e</u>**nnen**, *er rennt, er ist gerannt*	Beim Spiel rannte ein Grauhörnchen zehn Minuten lang durch den Strafraum.
das	**Gr**<u>au</u>**hörnchen**, *die Grauhörnchen*	Das Grauhörnchen hat seine europäischen roten Verwandten fast ganz verdrängt.
der	**Str**<u>a</u>**fraum**, *die Strafräume*	Das Grauhörnchen rannte zehn Minuten durch den Strafraum.
der	**Arsenal-Keeper**	Es war zu schnell für Arsenal-Keeper Jens Lehmann.
	<u>ein</u>**wandern**, *er wandert ein, er ist eingewandert*	Das Grauhörnchen ist aus Amerika eingewandert.

verdrängen, *er verdrängt, er hat verdrängt*	. . . .	Das Grauhörnchen hat seine europäischen roten Verwandten fast ganz verdrängt.
robust	. . . .	Es ist robuster und kommt vor allem in Städten gut zurecht.
zurecht kommen, *er kommt zurecht, er ist zurecht gekommen*	. . . .	Es ist robuster und kommt vor allem in Städten gut zurecht.
mitten in	. . . .	Mitten in der ersten Halbzeit rannte es auf das Feld.
die **Halbzeit**, *die Halbzeiten*	. . . .	Mitten in der ersten Halbzeit rannte es auf das Feld.
das **Tor**, *die Tore*	. . . .	Es ist in die Nähe von Arsenals Tor gelaufen.
rumturnen, *er turnt rum, er ist rumgeturnt*	. . . .	Es turnte irgendwo links rum.
verjagen, *er verjagt, er hat verjagt*	. . . .	Es ließ sich erst nach ein paar Minuten verjagen.

10 Feste und Feiern

die	**Feier**, die Feiern	Wir feiern viele Feste.
der	**Brauch**, die Bräuche	Es gibt in Deutschland viele Bräuche.
die	**Bedingung**, die Bedingungen	Die Bedingung ist, dass du einen Deutschkurs machst.
die	**Folge**, die Folgen	Das wird Folgen haben.
das	**Dirndl**, die Dirndl	Das Dirndl trägt man beim Oktoberfest.
der	**Adventskranz**, die Adventskränze	Der Adventskranz gehört zu Weihnachten.
das	<u>**Osterei**</u>, die Ostereier	Zu Ostern verschenkt man in ganz Europa Ostereier.
die	**Maske**, die Masken	Die Maske gehört zu Karneval.
der	<u>**Osterhase**</u>, die Osterhasen	Der Osterhase bringt die Ostereier.
die	**Valentinstagskarte**, die Valentinstagskarten	Er schickt ihr eine Valentinstagskarte.

der	**Valentinstag**, die Valentinstage	Am Valentinstag machen sich Verliebte kleine Geschenke.

Feste feiern

der	**Karneval**, die Karnevale/Karnevals	Man feiert Karneval im ganzen deutschsprachigen Raum.
	Weihnachten	An Weihnachten bekommt man Geschenke.
	Halloween	Zu Halloween verkleiden sich die Kinder als Geister.

1.2a

das	**Wissen**	Der Artikel steht unter Kultur & Wissen.
der	**Exporthit**, die Exporthits	Weihnachten ist ein Exporthit.
der	**Globus**, die Globen	Feste wandern rund um den Globus.
das	**Weihnachtssymbol**, die Weihnachtssymbole	Viele Weihnachtssymbole kommen aus den deutschsprachigen Ländern.
	deutschsprachig	Viele Weihnachtssymbole kommen aus den deutschsprachigen Ländern.

der	**Weihnachtsbaum**, die Weihnachtsbäume	. . . .	Der Weihnachtsbaum wurde weltweit exportiert.
die	**Chronik**, die Chroniken	. . . .	Eine Chronik aus Bremen berichtet von dem ersten Weihnachtsbaum.
der	**Tannenbaum**, die Tannenbäume	. . . .	Sie berichten von einem kleinen Tannenbaum mit Äpfeln.
die	**Leckerei**, die Leckereien	. . . .	Zu Weihnachten durften die Kinder die Leckereien aufessen.
	aufessen, er isst auf, er hat aufgegessen	. . . .	Zu Weihnachten durften die Kinder die Leckereien aufessen.
der	**Auswanderer**, die Auswanderer	. . . .	Deutschsprachige Auswanderer haben den Osterhasen mitgenommen.
die	**Auswanderin**, die Auswanderinnen	. . . .	Deutschsprachige Auswanderinnen haben den Osterhasen mitgenommen.
	mitnehmen, er nimmt mit, er hat mitgenommen	. . . .	Sie haben den Brauch nach Australien mitgenommen.
der/ die	**Verliebte**, die Verliebten	. . . .	Am Valentinstag machen sich Verliebte kleine Geschenke.

	verkleiden (sich), *er verkleidet sich, er hat sich verkleidet*	Sich verkleiden macht Spaß, vor allem zu Karneval.
der	**Geist,** *die Geister*	Zu Halloween verkleiden sich die Kinder als Geister.
die	**Süßigkeit,** *die Süßigkeiten*	Sie gehen von Haus zu Haus und sammeln Süßigkeiten.
das	**Halloween-Symbol,** *die Halloween-Symbole*	Das wichtigste Halloween-Symbol ist der Kürbis.
der	**Kürbis,** *die Kürbisse*	Das wichtigste Halloween-Symbol ist der Kürbis.
die	**Kerze,** *die Kerzen*	Man schneidet Augen, Nase und Mund in den Kürbis und stellt eine Kerze hinein.
	hineinstellen, *er stellt hinein, er hat hineingestellt*	Man schneidet Augen, Nase und Mund in den Kürbis und stellt eine Kerze hinein.
	vertreiben, *er vertreibt, er hat vertrieben*	Wenn man eine Kerze hineinstellt, vertreibt das die bösen Geister.
	böse	Wenn man eine Kerze hineinstellt, vertreibt das die bösen Geister.
der	**Clown,** *die Clowns*	Man kann sich als Clown, Cowboy oder Prinzessin verkleiden.

der	**Cowboy**, *die Cowboys*	. . . .	Man kann sich als Clown, Cowboy oder Prinzessin verkleiden.
die	*Prinzessin, die Prinzessinnen*	. . . .	Man kann sich als Clown, Cowboy oder Prinzessin verkleiden.
der	**Fasching**	. . . .	Ein anderes Wort für Karneval ist Fasching.
die	**Fastnacht/Fasnacht**	. . . .	In Süddeutschland heißt der Karneval Fasnacht oder Fastnacht.
der	**Raum**, die Räume	. . . .	Man feiert Karneval im ganzen deutschsprachigen Raum.
	wahrscheinlich	. . . .	Das Oktoberfest ist wahrscheinlich der zweitgrößte Exporthit.
	zweitgrößte	. . . .	Das Oktoberfest ist wahrscheinlich der zweitgrößte Exporthit.
die	**Blasmusik**	. . . .	Man feiert es mit Bier und Blasmusik.
der	**Herbst**, die Herbste	. . . .	Wir feiern im Herbst das Oktoberfest.

1.3

2 Ein Jahr – viele Feste

2.1a

das	**Kostüm**, die Kostüme	· · · · · · ·	Sie tragen bunte Kostüme und feiern auf der Straße.
die	**Kamelle**, die Kamellen	· · · · · · ·	Zum Karneval in Köln gibt es Kamelle (Bonbons).
der/ das	**Bonbon**, die Bonbons	· · · · · · ·	Zum Karneval in Köln gibt es Kamelle (Bonbons).
das	**Bützchen**, die Bützchen	· · · · · · ·	Zum Karneval in Köln gibt es Bützchen (Küsschen).
	verstecken, er versteckt, er hat versteckt	· · · · · · ·	Der Osterhase versteckt für die Kinder Ostereier.
das	**Eierklopfen**	· · · · · · ·	Ein anderer Brauch ist das Eierklopfen oder das Eierwerfen.
das	**Eierwerfen**	· · · · · · ·	Ein anderer Brauch ist das Eierklopfen oder das Eierwerfen.
	unterschiedlich	· · · · · · ·	Sommerfeste feiert man überall unterschiedlich.
das	**Weinfest**, die Weinfeste	· · · · · · ·	Im Rheingebiet feiert man Weinfeste.
das	**Dorffest**, die Dorffeste	· · · · · · ·	Das sind Dorffeste mit Musik, Tanz und einem Umzug.

der	**Tanz**, die Tänze	. . . .	Das sind Dorffeste mit Musik, Tanz und einem Umzug.
die	**Ernte**, die Ernten	. . . .	Man freut sich über die Ernte.
der	**Almabtrieb**	. . . .	In den Alpen feiert man den Almabtrieb.
die	**Bergwiese**, die Bergwiesen	. . . .	Die Kühe kommen von den Bergwiesen zurück in den Stall.
der	**Heilige Abend**	. . . .	Am Heiligen Abend bringen der Weihnachtsmann oder das Christkind die Geschenke.
der	**Weihnachtsmann**, *die Weihnachtsmänner*	. . . .	Am Heiligen Abend bringen der Weihnachtsmann oder das Christkind die Geschenke.
das	**Christkind**, *die Christkinder*	. . . .	Am Heiligen Abend bringen der Weihnachtsmann oder das Christkind die Geschenke.
das	**Feuerwerk**, *die Feuerwerke*	. . . .	Das Jahresende feiert man mit einem großen Feuerwerk.
	anstoßen, *sie (Pl.) stoßen an, sie haben angestoßen*	. . . .	Um 24 Uhr stößt man mit Sekt an.
der	**Sekt**, *die Sekte*	. . . .	Um 24 Uhr stößt man mit Sekt an.
das	**Neujahr**	. . . .	Man stößt mit Sekt an und sagt: „Prosit Neujahr!"

das	*Silvester*	. . . .	Silvester feiert man mit Partys und einem Feuerwerk.
	Prosit Neujahr!	. . . .	Man stößt mit Sekt an und sagt: „Prosit Neujahr!"
2.3	das	*Karnevalskostüm, die Karnevalskostüme*	. . . .	An Karneval trägt man ein Karnevalskostüm.
2.4a		*feste*	. . . .	Lieber Feste feiern als feste arbeiten.
		neongrün	. . . .	Ella hat eine neongrüne Luftmatratze bekommen.
	die	*Luftmatratze, die Luftmatratzen*	. . . .	Ella hat eine neongrüne Luftmatratze bekommen.
2.4c		*wahr*	. . . .	Formulieren Sie wahre und falsche Aussagen.
		etwas Witziges	. . . .	Es ist immer etwas Witziges dabei.
		weich	. . . .	Das gelbe T-Shirt ist aus einem weichen Stoff.
	der	*Stoff, die Stoffe*	. . . .	Das gelbe T-Shirt ist aus einem weichen Stoff.
2.4d	der	*Merksatz, die Merksätze*	. . . .	Ergänzen Sie den Merksatz.
2.5	die	*Fortsetzung, die Fortsetzungen*	. . . .	Schreiben Sie eine Fortsetzung zu dem Dialog.

3

3.1a **Was soll ich ihm schenken?**

die	**Socke**, die Socken	. . . .	Ich freue mich nicht über Socken.
der	**Badeschaum**	. . . .	Ich finde, Badeschaum ist ein gutes Geschenk.
der	**Mülleimer**, die Mülleimer	. . . .	Ein Mülleimer ist kein Geschenk.
der	**Müll**	. . . .	Man wirft den Müll in den Mülleimer.
der	**Schmuck**	. . . .	Über Schmuck freue ich mich.
der	**Kuss**, die Küsse	. . . .	Ein Kuss ist kein Geschenk.
die	**Krawatte**, die Krawatten	. . . .	Ich schenke oft Krawatten.
der	**Gummibaum**, die Gummibäume	. . . .	Ich freue mich nicht über einen Gummibaum.

3.2a

	daran	. . . .	Jeden Tag und jede Nacht muss ich daran denken.
	kränken, er kränkt, er hat gekränkt	. . . .	Was soll ich da schenken – ohne sie zu kränken.
das	**Tuch**, die Tücher	. . . .	Ein rotes Tuch? – Hat sie schon!
das	**Sparbuch**, die Sparbücher	. . . .	Soll ich ein Sparbuch schenken?
der	**Knutschfleck**, die Knutschflecken	. . . .	Einen Knutschfleck will sie nicht.

der	**Bumerang**, die Bumerangs	....	Soll ich einen Bumerang schenken?
die	**Matratze**, die Matratzen	....	Sogar eine Matratze hat sie!
3.2b der	**Geschenkvorschlag**, die Geschenkvorschläge	....	Machen Sie einen guten Geschenkvorschlag.
3.3 die	**Übertreibung**, die Übertreibungen	....	Üben Sie die Konsonanten durch Übertreibung.
	scharf		
	flüstern, er flüstert, er hat geflüstert	....	Üben Sie die Konsonanten durch scharfes Flüstern.
		....	Üben Sie die Konsonanten durch scharfes Flüstern.
3.4 die	**Unterschrift**, die Unterschriften	....	Auf der Autogrammjagd sammeln wir Unterschriften.
das	**Parfüm**, die Parfüms	....	Kann man einem Mann Parfüm schenken?
3.5 der	**Ring**, die Ringe	....	Er schenkt ihr einen Ring.
das	**Taschenmesser**, die Taschenmesser	....	Er schenkt ihr ein Taschenmesser.
3.6a	***ignorieren**, er ignoriert, er hat ignoriert*	....	Er ignoriert sie.

der	**Lottoschein**, die Lottoscheine	. . . .	Sie gewinnt im Lotto und zeigt ihm ihren Lottoschein.
	leihen, er leiht, er hat geliehen	. . . .	Er leiht ihr sein Buch.
die	**Sätze-Rallye**	. . . .	Machen Sie im Kurs eine Sätze-Rallye.

4 Keine Katastrophen, bitte

	trocken	. . . .	Der Baum darf nicht zu alt und trocken sein.
die	**Gardine**, die Gardinen	. . . .	In der Nähe vom Weihnachtsbaum darf keine Gardine sein.
die	**Sicherheit**	. . . .	Sicherheit ist wichtiger als Romantik.
die	**Romantik**	. . . .	Sicherheit ist wichtiger als Romantik.
	brennen, es brennt, es hat gebrannt	. . . .	Was passiert, wenn der Baum brennt?
	dagegen	. . . .	Was kann man dagegen tun?
der	**Eimer**, die Eimer	. . . .	Man stellt einen Eimer Wasser neben den Baum.
das	**Feuer**, die Feuer	. . . .	Dann kann man ein Feuer schnell löschen.

4.3	**lassen (allein lassen)**, *er lässt allein, er hat allein gelassen*	Man soll den Baum nie allein lassen.
	krank	Wenn ich krank bin, bleibe ich im Bett.

5   Ostern – ein internationales Fest

5.1	der **Osterbrauch**, *die Oster-bräuche*	Aus welchem Land kommen diese Osterbräuche?
5.1a	der **Ausflug**, *die Ausflüge*	Viele Leute machen am Montag einen Ausflug.
	das **Picknick**, *die Picknicke*	Beim Picknick essen wir die Ostertorte.
	salzig	Die Ostertorte ist ein salziger Kuchen mit Spinat und gekochten Eiern.
	der **Spinat**	Die Ostertorte ist ein salziger Kuchen mit Spinat und gekochten Eiern.
	färben, *er färbt, er hat gefärbt*	Am Ostersonntag färben und bemalen wir die Ostereier.
	bemalen, *er bemalt, er hat bemalt*	Am Ostersonntag färben und bemalen wir die Ostereier.

die	**Mẹsse**, die Messen	. . . .	Am Freitag feiern wir eine Messe.
das	**Lạmm**, die Lämmer	. . . .	Am Sonntag haben wir eine Familienfeier und wir essen Lamm.
	zusạmmenschlagen, er schlägt zusammen, er hat zusammengeschlagen	. . . .	Auf dem Marktplatz schlagen alle ihre bunten Eier zusammen.
	kapụttgehen, es geht kaputt, es ist kaputt gegangen	. . . .	Das Ei, das nicht kaputt geht, gewinnt.
die	**Heilige Wọche**	. . . .	Bei uns gibt es in der Heiligen Woche Prozessionen.
die	**Prozessiọn**, die Prozessionen	. . . .	Bei uns gibt es in der Heiligen Woche Prozessionen.
	prạ̈chtig	. . . .	Bei den Prozessionen tragen wir prächtig geschmückte Figuren.
	schmụ̈cken, er schmückt, er hat geschmückt	. . . .	Wir schmücken die Figuren.
die	**Figụr**, die Figuren	. . . .	Bei den Prozessionen tragen wir prächtig geschmückte Figuren.
das	**Bein (auf den Beinen sein)**, er ist auf den Beinen, er war auf den Beinen	. . . .	Die ganze Stadt ist auf den Beinen.

Übungen

Ü

Ü2a	der	*Japaner, die Japaner*	. . . .	Sogar Japaner feiern das Oktoberfest.
	die	*Japanerin, die Japanerinnen*	. . . .	Sogar Japanerinnen feiern das Oktoberfest.
Ü2c		*fehlende*	. . . .	Suchen Sie das fehlende Wort im Artikel.
Ü3b	die	*Foto-Nummer, die Foto-Nummern*	. . . .	Ergänzen Sie die Foto-Nummer.
Ü5a	die	*Live-Musik*	. . . .	Auf dem Sommerfest gibt es Live-Musik.
Ü7a		*hübsch*	. . . .	Jana findet Julian nicht hübsch.
	das	*Sommersemester, die Sommersemester*	. . . .	Julian studiert seit dem Sommersemester.
	das	*Seminar, die Seminare*	. . . .	Silva will nach dem Seminar losfahren.
		losfahren, er fährt los, er ist losgefahren	. . . .	Silva will nach dem Seminar losfahren.
	das	*Wintersemester, die Wintersemester*	. . . .	Er studiert seit dem Wintersemester Medizin.
	die	*Fahrradtour, die Fahrradtouren*	. . . .	Willst du mit mir eine Fahrradtour machen?

	preiswert	. . . .	Es ist preiswerter und die Uni ist in der Nähe.
	gratulieren, er gratuliert, er hat gratuliert	. . . .	Hast du schon Sebastian zum Geburtstag gratuliert?
	herrje	. . . .	Herrje, ich habe ihm noch nicht gratuliert.
Ü8a	der **Zeitungsausschnitt**, die Zeitungsausschnitte	. . . .	Lesen Sie die Zeitungsausschnitte.
	der **Rätselfreund**, die Rätselfreunde	. . . .	Jede Woche wieder: Rätselspaß für Rätselfreunde.
	die **Rätselfreundin**, die Rätselfreundinnen	. . . .	Jede Woche wieder: Rätselspaß für Rätselfreundinnen.
	der **Rätselspaß**	. . . .	Jede Woche wieder: Rätselspaß für Rätselfreunde.
	zurückwandern, er wandert zurück, er ist zurückgewandert	. . . .	Von dort ist es wieder nach Europa zurückgewandert.
	schlimm	. . . .	Schlechte Geschenke sind genauso schlimm wie keine Geschenke.
Ü10a	das **Werbegeschenk**, die Werbegeschenke	. . . .	Werbegeschenke darf man verschenken.

	reduzieren, er reduziert, er hat reduziert	. . . .	Reduzierte Ware (Sonderangebote) verschenkt man nicht.
das	**Sonderangebot,** die Sonderangebote	. . . .	Reduzierte Ware (Sonderangebote) verschenkt man nicht.
Ü10b das	**Online-Geschenke-Portal,** *Online-Geschenke-Portale*	. . . .	Kunden diskutieren in einem großen Online-Geschenke-Portal.
die	**Geschenk-Erfahrung,** die Geschenk-Erfahrungen	. . . .	Sie diskutieren ihre schlimmsten Geschenk-Erfahrungen.
das	**Putzmittel,** *die Putzmittel*	. . . .	Schenken Sie niemals Putzmittel oder Werbegeschenke.
die	**Glühbirne,** die Glühbirnen	. . . .	Schenken Sie niemals Glühbirnen.
das	**Diät-Buch,** *die Diät-Bücher*	. . . .	Schenken Sie niemals Diät-Bücher.
der	**Geldgutschein,** *die Geldgutscheine*	. . . .	Schenken Sie niemals Geldgutscheine vom gemeinsamen Konto.
das	**Konto,** die Konten	. . . .	Schenken Sie niemals Geldgutscheine vom gemeinsamen Konto.
der	**Medizin-Kalender,** *die Medizin-Kalender*	. . . .	Medizin-Kalender sind kein gutes Geschenk.

das **Gratis-Parfüm**, die Gratis-Parfums	Ein Gratis-Parfüm verschenkt man nicht.
der **Frust**	Schenken Sie Freude und keinen Frust!
Ü11a das **Paket**, die Pakete	Der Sohn schickt seiner Mutter ein Paket.
ersetzen, er ersetzt, er hat ersetzt	die Dativ-Ergänzungen mit einem Pronomen ersetzen
Ü12a die **Weihnachtskarte**, die Weihnachtskarten	Ich schicke meiner Oma jedes Jahr eine Weihnachtskarte.
Ü13a der **Fakt**, die Fakten	Die Feuerwehr informiert mit Zahlen und Fakten.
vorsichtig	Es muss nicht bei Ihnen brennen, wenn Sie vorsichtig sind!
ausschalten, er schaltet aus, er hat ausgeschaltet	Elektrische Geräte immer ausschalten und nicht im Stand-by-Modus haben.
der **Stand-by-Modus**	Elektrische Geräte immer ausschalten und nicht im Stand-by-Modus haben.
werfen, er wirft, er hat geworfen	Keine Zigaretten in den Mülleimer werfen.

11 Mit allen Sinnen

Ü13b **anmachen**, er macht an, er .... Wenn man eine Kerze anmacht, muss man immer
 hat angemacht   im Raum sein.

Ü14 die **Folge**, die Folgen .... Ordnen Sie die Bedingungen und Folgen zu.

Ü15 **traditionell** .... In Spanien isst man die traditionelle Ostertorte.

 das **Eierschlagen** .... In der Schweiz findet das traditionelle Eierschlagen
   statt.

Ü16a der **Heiligabend** .... Die Deutschen gehen Heiligabend in die Kirche.

 komisch .... Es ist für mich auch etwas komisch!

 die **Gasteltern** *(Pl.)* .... Ich weiß nicht, was ich meinen Gasteltern
   schenken kann.

11 Mit allen Sinnen

 der **Sinn**, die Sinne .... Die Menschen haben verschiedene Sinne.

 weinen, er weint, er hat .... Er weint, weil er traurig ist.
 geweint

	eklig	Sie findet Spinnen eklig.
	wundern (sich über), er wundert sich, er hat sich gewundert	Ich wundere mich über manche Menschen.
	erschrecken (sich), er erschreckt sich, er hat sich erschrocken	Ich habe mich heute sehr erschreckt.
	verliebt	Peter ist in Marie verliebt.
der	Ärger	Können alle Menschen Ärger zeigen?
das	Forschungsprojekt, die Forschungsprojekte	Seit 2007 sucht ein Berliner Forschungsprojekt Antworten.
die	Sympathie, die Sympathien	Sie können mit ihrem Körper Sympathie oder Antipathie ausdrücken.
die	Antipathie, die Antipathien	Sie können mit ihrem Körper Sympathie oder Antipathie ausdrücken.
die	Aggression, die Aggressionen	Sie können mit ihrem Körper Aggression oder Freundlichkeit ausdrücken.
die	Freundlichkeit	Sie können mit ihrem Körper Aggression oder Freundlichkeit ausdrücken.

das	**Gesicht**, die Gesichter	Die Sprache des Gesichts ist die Sprache der Emotionen.
	nervös	Besonders Gesichter zeigen, wenn jemand nervös, ärgerlich oder entspannt ist.
	ärgerlich	Besonders Gesichter zeigen, wenn jemand nervös, ärgerlich oder entspannt ist.
	entspannt	Besonders Gesichter zeigen, wenn jemand nervös, ärgerlich oder entspannt ist.
die	*Tr<u>au</u>er*	Mit dem Gesicht kann man Trauer und Wut oft besser ausdrücken.
die	*W<u>u</u>t*	Mit dem Gesicht kann man Trauer und Wut oft besser ausdrücken.
der	*Ekel*	Ekel kann man normalerweise gut mit dem Gesicht ausdrücken.
	normal<u>e</u>rweise	Ekel kann man normalerweise gut mit dem Gesicht ausdrücken.
	gef<u>ü</u>hlsblind	10 % der Deutschen sind gefühlsblind.
	erk<u>e</u>nnen, er erkennt, er hat erkannt	Die können die eigenen Gefühle nicht so gut erkennen.

der	**Lo͜E-Forscher,** *die Lo͜E-Forscher*	Lo͜E-Forscher untersuchten Gefühlsblinde und Normale.
die	**Lo͜E-Forscherin,** *die Lo͜E-Forscherinnen*	Lo͜E-Forscherinnen untersuchten Gefühlsblinde und Normale.
der/die	**Gefühlsblinde,** *die Gefühlsblinden*	Gefühlsblinde reden weniger und sind schneller im Stress.
die	**Geste,** *die Gesten*	Sie machen weniger Gesten.
	teilen, *er teilt, er hat geteilt*	Es gibt Emotionen, die alle Menschen auf der Welt teilen.
die	**Verachtung**	Verachtung und Traurigkeit kennen alle Menschen auf der Welt.
die	**Traurigkeit**	Verachtung und Traurigkeit kennen alle Menschen auf der Welt.
die	**Überraschung,** *die Überraschungen*	Überraschung kennen alle Menschen auf der Welt.
der	**Unterschied,** *die Unterschiede*	Es gibt kulturelle Unterschiede.
der	**Gesichtsausdruck,** *die Gesichtsausdrücke*	Gesichtsausdrücke aus der eigenen Kultur versteht man am besten.

| die | **Kommunikation** | . . . . | Kommunikation heißt auch mit dem Gesicht und dem Körper sprechen. |
| der | **Kommentar**, *die Kommentare* | . . . . | Sie haben eine Frage oder einen Kommentar? |

1 Gesichter lesen – Emotionen erkennen

1.1a	das	*Emoticon, die Emoticons*	. . . .	Mit Emoticons kann man Emotionen ausdrücken.
1.1b		**bestimmen**, *er bestimmt, er hat bestimmt*	. . . .	Die Kultur bestimmt, wie man Emotionen zeigt.
1.2		**positiv**	. . . .	Freude ist eine positive Emotion.
		negativ	. . . .	Wut ist eine negative Emotion.
1.3a		*igitt*	. . . .	Igitt, ist das eklig! Iieh!
		iieh	. . . .	Igitt, ist das eklig! Iieh!
		stinksauer	. . . .	Ich bin stinksauer!
	der	**Mist**	. . . .	So ein Mist!
	der	**Wahnsinn**	. . . .	Wahnsinn! Das ist toll.

	sauer	. . . .	Sei nicht sauer.
	wow	. . . .	Wow! Das ist ja super.
1.4	**wovor**	. . . .	Wovor hattest du als Kind Angst?

2 Ein deutscher Liebesfilm

	der **Liebesfilm**, die Liebesfilme	. . . .	„Erbsen auf halb 6" ist ein deutscher Liebesfilm.
2.1	die **Erbse**, die Erbsen	. . . .	„Erbsen auf halb 6" ist ein deutscher Liebesfilm.
2.1a	**erwarten**, er erwartet, er hat erwartet	. . . .	Was erwarten Sie von dem Film?
	die **Action**	. . . .	Ich erwarte einen Film mit Action.
	der **Krimi**, die Krimis	. . . .	Ich erwarte einen Krimi.
	die **Dokumentation**, die Dokumentationen	. . . .	Ich glaube, der Film ist eine Dokumentation.
	die **Komödie**, die Komödien	. . . .	Ich erwarte eine Komödie.
2.1b	die **TV-Zeitschrift**, die TV-Zeitschriften	. . . .	Lesen Sie den Artikel in der TV-Zeitschrift.

	emotional	„Erbsen auf halb 6" ist ein emotional mitreißender Film.
	mitreißend	„Erbsen auf halb 6" ist ein emotional mitreißender Film.
die	**Tragikomödie**, die Tragikomödien	Die Tragikomödie widmet sich auf humorvolle Weise dem Thema Blindheit.
	humorvoll	Die Tragikomödie widmet sich auf humorvolle Weise dem Thema Blindheit.
die	*Weise, die Weisen*	Auf sympathische Weise behandelt der Film das Thema Blindheit.
die	**Blindheit**	Auf sympathische Weise behandelt der Film das Thema Blindheit.
	widmen, *er widmet, er hat gewidmet*	Der Film widmet sich humorvoll dem Thema Blindheit.
	erfolgreich	Jakob ist ein erfolgreicher Theaterregisseur.
der	**Autounfall**, *die Autounfälle*	Am Anfang des Films hat er einen Autounfall.
	schuld (sein), *er ist schuld, er war schuld*	An dem Autounfall ist er schuld.

blind . . . . Er wird blind.

verzweifelt . . . . Jakob ist wütend und verzweifelt.

der **Regisseur**, *die Regisseure* . . . . Er muss seinen Beruf als Regisseur an den Nagel hängen.

die **Regisseurin**, *die Regisseurinnen* . . . . Sie muss ihren Beruf als Regisseurin an den Nagel hängen.

der **Nagel (etw. an den Nagel hängen)**, *er hängt etw. an den Nagel, er hat etw. an den Nagel gehängt* . . . . Er muss seinen Beruf als Regisseur an den Nagel hängen.

trennen (sich von), *sie trennt sich, sie hat sich getrennt* . . . . Er trennt sich von seiner Freundin.

weiterleben, *er lebt weiter, er hat weitergelebt* . . . . Er hat Angst und will nicht mehr weiterleben.

todkrank . . . . Aber er möchte noch seine todkranke Mutter in Russland besuchen.

zurechtfinden (sich), *er findet sich zurecht, er hat sich zurechtgefunden* . . . . Lilly findet sich in ihrer Welt gut zurecht.

gemeinsam . . . . Gemeinsam machen sie sich auf den langen Weg nach Osten.

der **Weg (sich auf den Weg machen)**, er macht sich auf den Weg, er hat sich auf den Weg gemacht . . . . Gemeinsam machen sie sich auf den langen Weg nach Osten.

die **Handlung**, *die Handlungen* . . . . Ort der Handlung ist Osteuropa.

der/ **Blinde**, *die Blinden*
die . . . . Die beiden Blinden kommen manchmal in gefährliche Situationen.

gefährlich . . . . Die beiden Blinden kommen manchmal in gefährliche Situationen.

trotzdem . . . . Trotzdem gibt es auch viel Komik und Humor.

die **Komik** . . . . Trotzdem gibt es auch viel Komik und Humor.

der **Humor** . . . . Trotzdem gibt es auch viel Komik und Humor.

verändern, er verändert, er hat verändert . . . . Am Ende des Films sind beide verändert.

das **Schicksal**, *die Schicksale* . . . . Jakob lernt, dass man sein Schicksal akzeptieren muss.

	akzeptieren, er akzeptiert, er hat akzeptiert	. . . .	Jakob lernt, dass man sein Schicksal akzeptieren muss.
	zueinanderfinden, sie finden zueinander, sie haben zueinander gefunden	. . . .	Langsam finden die beiden Menschen zueinander.
die	**Orientierung**	. . . .	Lilly hilft Jakob bei der Orientierung im Dunkeln.
der	**Teller**, die Teller	. . . .	Es ist wichtig zu wissen, wo etwas auf dem Teller liegt.
der	**Trick**, die Tricks	. . . .	Lilly erklärt den Trick mit der Uhr.
	näher kommen (sich), sie kommen sich näher, sie sind sich näher gekommen	. . . .	Auf der Reise kommen sich Lilly und Jakob ganz langsam näher.
die	**Dreharbeiten** (Pl.)	. . . .	Fritzi Haberland und Harald Schrott bei den Dreharbeiten.
die	**Regie**	. . . .	Regie führte Lars Büchel.
die	**Textgrafik**, die Textgrafiken	. . . .	Arbeiten Sie mit einer Textgrafik.
	gegenseitig	. . . .	Die Schüler helfen sich gegenseitig.

2.2

2.2a

2.2b **handeln (von)**, *es handelt von, es hat von gehandelt* . . . . Der Film handelt von Jakob.

2.3a der **Forscher**, *die Forscher* . . . . Der Forscher untersucht die Emotionen.

die **Forscherin**, *die Forscherinnen* . . . . Die Forscherin untersucht die Emotionen.

entfallen, *es entfällt, es ist ent-fallen* . . . . Im Plural entfällt der unbestimmte Artikel.

2.3b der **Filmtitel**, *die Filmtitel* . . . . Ergänzen Sie die Filmtitel.

der **Ritter**, *die Ritter* . . . . Monty Pythons Ritter der Kokosnuss habe ich schon oft gesehen.

die **Kokosnuss**, *die Kokosnüsse* . . . . Monty Pythons Ritter der Kokosnuss habe ich schon oft gesehen.

der **Jäger**, *die Jäger* . . . . Indiana Jones - Jäger des verlorenen Schatzes ist ein toller Film.

die **Jägerin**, *die Jägerinnen* . . . . Die Jägerin des verlorenen Schatzes.

der **Untergang**, *die Untergänge* . . . . Der Untergang des Hauses Usher kenne ich gar nicht.

2.4a die **Filmszene**, *die Filmszenen* . . . . die Filmszene hören

die **Kartoffel**, *die Kartoffeln* . . . . Die Kartoffeln liegen auf zwei Uhr, richtig?

2.5a

	mitspielen, er spielt mit, er hat mitgespielt	. . . . Hilmir spielte auch in Musicals mit.
der	**Filmpreis**, die Filmpreise	. . . . Fritzi bekam den deutschen Filmpreis.
der	**Shooting-Star**, die Shooting-Stars	. . . . Er bekam den Berlinale Preis „Shooting-Star".
	geb. (= geboren)	. . . . Er wurde in Island geboren.
der	**Filmschauspieler**, die Filmschauspieler	. . . . Hilmir ist einer der bekanntesten Filmschauspieler Islands.
die	**Filmschauspielerin**, die Filmschauspielerinnen	. . . . Fritzi ist eine der bekanntesten Filmschauspielerinnen Deutschlands.
die	**Bühne**, die Bühnen	. . . . Er hat klassisches Theater auf vielen Bühnen gespielt.
der	**Schauspieler**, die Schauspieler	. . . . Er hat den Preis als bester Schauspieler bekommen.
die	**Schauspielerin**, die Schauspielerinnen	. . . . Sie hat den Preis als beste Schauspielerin bekommen.
die	**Leistung**, die Leistungen	. . . . Er hat den Preis für seine Leistung als „Hamlet" bekommen.

	steil	. . . .	Die Karriere des sympathischen Schauspielers war steil.
das	**Filmfestival**, _die Filmfestivals_	. . . .	Auf dem Filmfestival „Berlinale" bekam er den Preis als „Shooting-Star".
die	**Verfilmung**, _die Verfilmungen_	. . . .	Er spielte in der deutschen Verfilmung des Romans „Blueprint".
die	**Rolle**, _die Rollen_	. . . .	Diese Rolle machte ihn international bekannt.
	vielseitig	. . . .	Gudnason ist wirklich sehr vielseitig.
die	**Theaterbühne**, _die Theaterbühnen_	. . . .	Sie begann ihre Karriere auf den Berliner Theaterbühnen.
	ab und zu	. . . .	Dort ist sie noch immer ab und zu.
	bayrisch	. . . .	Sie bekam im Jahr 2000 den bayrischen Filmpreis.
die	**Nebenrolle**, _die Nebenrollen_	. . . .	2004 bekam sie den Deutschen Filmpreis für die beste Nebenrolle.
	nominieren, _er nominiert, er hat nominiert_	. . . .	2012 war sie wieder für den Deutschen Filmpreis nominiert.
das	**Szene-Magazin**, _die Szene-Magazine_	. . . .	Das Szene-Magazin „Neon" wählte sie in die Liste der 100 wichtigsten jungen Deutschen.

vorbereiten (sich), er bereitet sich vor, er hat sich vorbereitet .... Auf den Film bereitete sie sich mit einem Blindentrainer vor.

der **Blindentrainer**, *die Blindentrainer* .... Auf den Film bereitete sie sich mit einem Blindentrainer vor.

die **Blindentrainerin**, *die Blindentrainerinnen* .... Auf den Film bereitete sie sich mit einer Blindentrainerin vor.

2.5c *der* **Lieblingsschauspieler**, *die Lieblingsschauspieler* .... Mein Lieblingsschauspieler ist sehr berühmt.

2.6 *die* **Lieblingsschauspielerin**, *die Lieblingsschauspielerinnen* .... Meine Lieblingsschauspielerin sieht super aus.

verwenden, er verwendet, er hat verwendet .... Schreiben Sie Sätze und verwenden Sie die Indefinita.

schauspielern, er schauspielert, er hat geschauspielert .... Wenige können gut schauspielern.

führen (Regie führen), *er führt Regie, er hat Regie geführt* .... Manche führen in einem Film Regie.

2.7	**dehnen**, er dehnt, er hat gedehnt	. . . .	Dehnen Sie die Laute beim Sprechen.
	runden, er rundet, er hat gerundet	. . . .	Jetzt den Mund runden.
2.8b	**legen**, er legt, er hat gelegt	. . . .	Ich lege die DVD auf den Tisch.
	achten (auf), er achtet auf, er hat geachtet auf	. . . .	Achten Sie auf die Verben.
2.9a	der **Kameramann**, die Kameramänner	. . . .	Der Kameramann steht hinter der Kamera.
2.9b	der **Bühnenbildner**, die Bühnenbildner	. . . .	Der Bühnenbildner hat viel zu tun.
	die **Bühnenbildnerin**, die Bühnenbildnerinnen	. . . .	Die Bühnenbildnerin hat viel zu tun.
2.10	der **Actionfilm**, die Actionfilme	. . . .	Das ist ein Actionfilm mit Arnold Schwarzenegger.
	der **Thriller**, die Thriller	. . . .	Das ist ein Thriller, der in Russland spielt.

3 Mitten im Leben

mitten . . . . Die Redakteurin besuchte zwei Frauen, die mitten im Leben stehen.

3.1a

die **Behinderung**, *die Behinderungen* . . . . Sie hat eine Behinderung.

der **Arbeitsalltag** . . . . Im Arbeitsalltag hat sie viel zu tun.

das **Leben (mitten im Leben stehen)**, er steht im Leben, er stand im Leben . . . . Annette Stramel steht mitten im Leben.

setzen, er setzt, er hat gesetzt . . . . Nach dem Studium setzte sie Anzeigen in die Zeitung.

der **Privatunterricht** . . . . Deutschlehrerin gibt Privatunterricht.

der **Anrufer**, *die Anrufer* . . . . Manche Anrufer beendeten das Gespräch dann sofort.

die **Anruferin**, *die Anruferinnen* . . . . Manche Anruferinnen beendeten das Gespräch dann sofort.

anders . . . . Die Schüler lernten Deutsch anders – sehr aktiv.

aktiv . . . . Die Schüler lernten Deutsch anders – sehr aktiv.

vorlesen, er liest vor, er hat vorgelesen · · · · · · · · · Sie haben mehr gesprochen, vorgelesen und mit Hörtexten gearbeitet.

stellen (Fragen stellen), er stellt Fragen, er hat Fragen gestellt · · · · · · · · · Ich habe korrigiert und den Schülern Fragen gestellt.

sehend · · · · · · · · · Frau Stramel hat sehende und blinde Schüler.

der **Lerner,** die Lerner · · · · · · · · · Frau Stramel hat sehende und blinde Lerner.

die **Lernerin,** die Lernerinnen · · · · · · · · · Frau Stramel hat sehende und blinde Lernerinnen.

die *Blindenschrift* · · · · · · · · · Das Lehrwerk kann Frau Stramel in Blindenschrift lesen.

die **Schrift,** die Schriften · · · · · · · · · Diese Schrift ist 200 Jahre alt.

mathematisch · · · · · · · · · Man kann mit der Schrift auch mathematische Aufgaben schreiben.

die **Note,** die Noten · · · · · · · · · Man kann mit der Schrift auch Noten für Musikstücke schreiben.

das *Musikstück, die Musikstücke* · · · · · · · · · Man kann mit der Schrift auch Noten für Musikstücke schreiben.

	anfassen, er fasst an, er hat angefasst	· · · · ·	Das Lernen der Wörter funktioniert am besten mit Dingen, die man anfassen kann.
die	**Erfahrung**, die Erfahrungen	· · · · ·	Ihre Lerner machen täglich neue Erfahrungen.
das	**Lehrwerk**, die Lehrwerke	· · · · ·	Das Lehrwerk kann Frau Stramel in Blindenschrift lesen.
der	**Zweifel**, die Zweifel	· · · · ·	Ohne Zweifel – Annette Stramel steht mitten im Leben.
der	**Bauchtanz**, die Bauchtänze	· · · · ·	Sie liebt Bauchtanz.
	gehörlos	· · · · ·	Judith ist gehörlos.
der	**Bauchtanzkurs**, die Bauchtanzkurse	· · · · ·	Mit 19 Jahren startete sie mit Bauchtanzkursen an der Volkshochschule.
der	**Workshop**, die Workshops	· · · · ·	Dann reiste sie zu Workshops in ganz Europa.
	beobachten, er beobachtet, er hat beobachtet	· · · · ·	Sie beobachtet die anderen, mit denen sie tanzt.
der	**Beobachter**, die Beobachter	· · · · ·	Er war schon als Kind ein guter Beobachter.
die	**Beobachterin**, die Beobachterinnen	· · · · ·	Judith war schon als Kind eine gute Beobachterin.

das	**Dikt<u>a</u>t**, die Diktate	Sie musste Diktate schreiben und dabei von den Lippen ablesen.
die	**Lippe**, die Lippen	Sie musste dabei von den Lippen der Mutter ablesen.
	<u>a</u>blesen, er liest ab, er hat abgelesen	Sie musste dabei von den Lippen der Mutter ablesen.
das	**Lippenlesen**	Sie konnte mit der Zeit sehr gut Lippenlesen.
der	**Lippendolmetscher**, die Lippendolmetscher	Heute leitet sie ihre Lippendolmetscher-Agentur.
die	**Lippendolmetscherin**, die Lippendolmetscherinnen	Sie arbeitet heute als Lippendolmetscherin.
die	**Geb<u>ä</u>rdensprache**, die Gebärdensprachen	Judith kann die Gebärdensprache.
die	**S<u>e</u>ndung**, die Sendungen	Sie möchte, dass mehr Sendungen im Fernsehen Untertitel haben.
der	**<u>U</u>ntertitel**, die Untertitel	Sie möchte, dass mehr Sendungen im Fernsehen Untertitel haben.
	kn<u>a</u>pp	Nur knapp 24 Prozent der TV-Sendungen haben Untertitel.

	die	**TV-Sendung,** *die TV-Sen-dungen*	. . . .	Nur knapp 24 Prozent der TV-Sendungen haben Untertitel.
	der/ die	**Gehörlose,** *die Gehörlosen*	. . . .	Gehörlose kommen oft sehr viel schwerer an Informationen.
	die	**Nachrichten** (Pl.)	. . . .	Sie kommen schwerer an Informationen, weil sie Nachrichten nicht hören können.
3.1d	die	**Gemeinsamkeit,** *die Gemein-samkeiten*	. . . .	Finden Sie Gemeinsamkeiten und Unterschiede zwischen den Frauen.
3.2a		**aufgeben,** *er gibt auf, er hat aufgegeben*	. . . .	Ich habe in verschiedenen Zeitungen Anzeigen aufgegeben.
		sehbehindert	. . . .	Einige von ihnen sind sehbehindert, andere sind blind.
	die	**Flöte,** *die Flöten*	. . . .	Ich spiele Flöte.
3.2b	das	**Arbeitsmittel,** *die Arbeitsmit-tel*	. . . .	Frau Stramel nutzt verschiedene Arbeitsmittel in ihren Kursen.
3.3a	die	**Brailleschrift**	. . . .	Das Lehrwerk ist in Brailleschrift übertragen.
		übertragen, *er überträgt, er hat übertragen*	. . . .	Das Lehrwerk ist in Brailleschrift übertragen.

bequem .... Die Räume sind bequem und haben Internetanschluss.

der **Internetanschluss**, *die Internetanschlüsse* .... Die Räume sind bequem und haben Internetanschluss.

das **Ideal**, *die Ideale* .... Beschreiben Sie Wünsche und Ideale.

3.4 *der* **Ausdruck**, die Ausdrücke .... Was bedeutet dieser Ausdruck?

3.5a **deshalb** .... Man arbeitet zu viel und ist deshalb im Stress.

zurechtkommen, er kommt zurecht, er ist zurechtgekommen .... Eine Person kommt gut im Leben zurecht.

Übungen

Ü1a *der* **Schreck**, *die Schrecken* .... Sie hat einen Schreck bekommen.

Ü2b **wissenschaftlich** .... Die Forscher arbeiten an einer wissenschaftlichen Studie.

Ü3b **unruhig** .... Vor dem Test war er sehr unruhig.

angespannt .... Vor dem Test war er sehr angespannt.

Ü3c

erlernen, er erlernt, er hat erlernt .... Man kann Emotionen erlernen.

Ü5b

aufhängen, er hängt auf, er hat aufgehängt .... Er hat ein Bild aufgehängt.

Ü6a

die **Hauptrolle**, die Hauptrollen .... Sie spielt die Hauptrolle in dem Film.

das **Drehbuch**, die Drehbücher .... Das Drehbuch hat Susanne Beck geschrieben.

die **Kritik**, die Kritiken .... Der Journalist schreibt eine Kritik über einen Film.

der **Fernsehfilm**, die Fernsehfilme .... „Margarethe Steiff" ist der Fernsehfilm der Woche.

exklusiv .... Der Film ist heute schon online – exklusiv für Mitglieder.

der/ **10-Jährige**, die 10-Jährigen .... Anna Luksch spielt Margarethe Steiff als 10-Jährige.
die

der **Rollstuhl**, die Rollstühle .... Margarete sitzt weiter im Rollstuhl.

mutig .... Die Kinder lieben die Tiere der mutigen Frau.

die **Freundschaft**, die Freundschaften .... Der Teddybär ist ein Symbol der Freundschaft.

schließlich .... Und Fritz meldet sich schließlich bei ihr.

Ü7c	_heu̲tige_	Was ist für Sie das größte Problem der heutigen Zeit?
Ü8	das **Kreuzworträtsel**, _die Kreuzworträtsel_	Lösen Sie das Kreuzworträtsel.
	der **TV-Artikel**, _die TV-Artikel_	Lesen Sie den TV-Artikel.
	der _I̲sländer_, _die Isländer_	Der Isländer Hilmir ist Schauspieler.
	die _I̲sländerin_, _die Isländerinnen_	Die Isländerin ist Schauspielerin.
	das _Musiktheater_, _die Musiktheater_	Im Musiktheater singt und schauspielert man.
Ü10a	die **Premiere**, _die Premieren_	Ich lade Sie zur Premiere ein.
	der **Teppich**, _die Teppiche_	Ich kann über den roten Teppich laufen.
	der **Assistent**, _die Assistenten_	Der Assistent stellt die Vase auf den Boden.
	die **Assistentin**, _die Assistentinnen_	Die Assistentin stellt die Vase auf den Boden.
Ü10a	das **Fensterbrett**, _die Fensterbretter_	Was haben Sie auf das Fensterbrett gestellt?
Ü14	das **Original**, _die Originale_	Das Restaurant unsicht-Bar ist das Original.
	das _Wesentliche_	Das Wesentliche ist für die Augen unsichtbar.

unsichtbar   . . . .   Das Wesentliche ist für die Augen unsichtbar.

der/ **Prominente**, die Prominenten   . . . .   Viele Prominente hatten ihren Spaß bei uns.
der

der **Star**, die Stars   . . . .   Viele Stars hatten ihren Spaß bei uns.

der **Erfinder**, die Erfinder   . . . .   Louis Braille ist der Erfinder der Brailleschrift.

die **Erfinderin**, die Erfinderinnen   . . . .   Sie ist die Erfinderin der Stofftiere.

die **Computersprache**, die Com-   . . . .   BASIC ist eine Computersprache.
putersprachen

der **Morsecode**, die Morsecodes   . . . .   Der Morsecode ist ein System aus Strichen und
                 Punkten.

der **Strich**, die Striche   . . . .   Der Morsecode ist ein System aus Strichen und
                 Punkten.

12 Ideen und Erfindungen

die	**Erfindung**, die Erfindungen	Vor allem im 19. Jahrhundert gab es besonders viele Erfindungen.
der	**Reißverschluss**, die Reißverschlüsse	Der Reißverschluss wurde 1914 erfunden.
die	**Nähmaschine**, die Nähmaschinen	Die Nähmaschine wurde 1855 erfunden.
die	**Fernbedienung**, die Fernbedienungen	Die Fernbedienung wurde im 20. Jahrhundert erfunden.
der	**Staubsauger**, die Staubsauger	Der Staubsauger wurde 1901 erfunden.
das	**Streichholz**, die Streichhölzer	Das Streichholz wurde schon sehr früh erfunden.
der	**Toaster**, die Toaster	Im 20. Jahrhundert wurde der Toaster erfunden.
die	**Glühbirne**, die Glühbirnen	Die Glühbirne gibt es schon viele Jahre.
die	**Mikrowelle**, die Mikrowellen	Die Mikrowelle wurde im Jahr 1946 erfunden.

1 Ideen aus D-A-CH

das	**Jahrhundert,** die Jahrhunderte	. . . .	Es gab vor allem im 19. Jahrhundert und in der ersten Hälfte des 20. Jahrhunderts viele Erfindungen.
die	**Innovation,** *die Innovationen*	. . . .	In dieser Zeit gab es viele Erfindungen und technische Innovationen.
der	**Dieselmotor,** *die Dieselmotoren*	. . . .	Der Dieselmotor wurde 1890 von Rudolf Diesel erfunden.
der	**Kaffeefilter,** *die Kaffeefilter*	. . . .	Melitta Bentz erfand 1908 den Kaffeefilter.
der	**Buchdruck,** *die Buchdrucke*	. . . .	Johannes Gutenberg erfand 1440 den Buchdruck.
der	**Teebeutel,** *die Teebeutel*	. . . .	Der Teebeutel wurde 1929 erfunden.
die	**Zahnpasta**	. . . .	Die Zahnpasta gibt es seit 1907.
das	**MP3-Format,** *die MP3-Formate*	. . . .	Das MP3-Format ist die berühmteste Erfindung des Fraunhofer-Instituts.
der	**Klettverschluss,** *die Klettverschlüsse*	. . . .	Der Klettverschluss wurde 1949 erfunden.
die	**Schiffsschraube,** *die Schiffsschrauben*	. . . .	Die Schiffsschraube wurde von Josef Ressel erfunden.

1.1c

transparent	. . . .	Sie ist transparent und feuerfest, große Hitze ist für sie kein Problem.
feuerfest	. . . .	Sie ist transparent und feuerfest, große Hitze ist für sie kein Problem.
die **Revolution**, die Revolutionen	. . . .	Diese Erfindung war eine Revolution.
die **Produktion**, die Produktionen	. . . .	Sie machte die Produktion von Texten billiger.
die **Bibel**, die Bibeln	. . . .	Eine berühmte Bibel trägt den Namen des Erfinders aus Mainz.
erfinden, er erfindet, er hat erfunden	. . . .	Ein Schweizer hat ihn erfunden.
das **Vorbild**, die Vorbilder	. . . .	Die Natur war Vorbild für seine Erfindung.
binden, er bindet, er hat gebunden	. . . .	Man muss keine Schuhe mehr binden.
der **Physiker**, die Physiker	. . . .	Ein Physiker hat sie aber 30 Jahre vorher in Berlin gemacht.
die **Physikerin**, die Physikerinnen	. . . .	Eine Physikerin hat sie aber 30 Jahre vorher in Berlin gemacht.

das	**Gerät**, die Geräte	. . . .	Heute sind die Geräte flach und digital.
	flach	. . . .	Heute sind die Geräte flach und digital.
	digital	. . . .	Heute sind die Geräte flach und digital.
die	**Technologie**, die Technologien	. . . .	Diese Technologie ist besonders attraktiv für Musikfans.
das	**Forschungslabor**, die Forschungslabore	. . . .	Diese Technologie kommt aus einem deutschen Forschungslabor.
der	**Chip**, die Chips	. . . .	Man kann mit ihr viele Lieder auf einem kleinen Chip speichern.
die	**Seefahrt**, die Seefahrten	. . . .	Für die Seefahrt war diese Erfindung wichtig, um schneller fahren zu können.
das	**Problem**, die Probleme	. . . .	Große Hitze ist für sie kein Problem.
	addieren, er addiert, er hat addiert	. . . .	Addieren Sie die Jahreszahlen.

2 Erfindungen – wozu?

wozu . . . . Wozu braucht man Erfindungen?

2.1a die **Kühlung**, *die Kühlungen* . . . . Lindes Erfindung macht die Kühlung von Bier möglich.

entwickeln, er entwickelt, er hat entwickelt . . . . Carl Benz entwickelte das Fließband.

das *Fließband, die Fließbänder* . . . . Carl Benz entwickelte das Fließband.

die **MP3-Technik** . . . . Die MP3-Technik wurde zuerst in Japan produziert.

2.1b das **Patent**, die Patente . . . . Ein Patent schützt eine Erfindung und den Erfinder.

die **Nutzung**, *die Nutzungen* . . . . Er darf dann die Nutzung erlauben oder verbieten.

erlauben, er erlaubt, er hat erlaubt . . . . Er darf dann die Nutzung erlauben oder verbieten.

nötig . . . . Erfindungen sind nötig, damit man Probleme lösen kann.

damit . . . . Erfindungen sind nötig, damit man Probleme lösen kann.

lösen, er löst, er hat gelöst . . . . Mit der Erfindung der Kühlmaschine konnte er dieses Problem lösen.

die	**Brauerei**, die Brauereien	. . . .	Für die Münchner Brauereien war z.B. das Kühlen von Bier ein Problem.
	kühl	. . . .	Nur kühles Bier war lange haltbar und der Transport möglich.
	haltbar	. . . .	Nur kühles Bier war lange haltbar und der Transport möglich.
der	**Professor**, die Professoren	. . . .	Linde war Professor an der Technischen Hochschule in München.
die	**Professorin**, die Professorinnen	. . . .	Sie war Professorin an der Technischen Hochschule in München.
die	**Kühlmaschine**, die Kühlmaschinen	. . . .	Mit der Erfindung der Kühlmaschine konnte er dieses Problem lösen.
die	**Serienproduktion**, die Serienproduktionen	. . . .	Die Serienproduktion der Kühlschränke für die privaten Haushalte startete erst 1913.
das	**Automobil**, die Automobile	. . . .	Wilhelm Maybach entwickelte zwei Jahre später das erste Automobil.
die	**Serie (in Serie)**	. . . .	Oft werden Erfindungen in anderen Ländern in Serie produziert.

der	**Flüssigkeitskristallbildschirm,** die Flüssigkeitskristallbildschirme	. . . . .	Der Flüssigkeitskristallbildschirm ist eine Erfindung aus der Schweiz.
	veröffentlichen, er veröffentlicht, er hat veröffentlicht	. . . . .	Das Speichern und das Veröffentlichen von Musik sind mit der Technik möglich.
die	**Entwicklung,** die Entwicklungen	. . . . .	Diese Technik ist eine Entwicklung aus Japan.
die	**Erfindernation,** die Erfindernationen	. . . . .	Pro Kopf ist die Schweiz die größte Erfindernation.
die	**Weltspitze**	. . . . .	Das ist Weltspitze.
	innovativ	. . . . .	Top-Universitäten und internationale Firmen sind innovativ und kreativ.
	kreativ	. . . . .	Top-Universitäten und internationale Firmen sind innovativ und kreativ.
das	**Patentamt,** die Patentämter	. . . . .	Ein Patentamt braucht man, um Patente anzumelden.
das	**LCD-Display,** die LCD-Displays	. . . . .	Wozu braucht man ein LCD-Display?

2.3

2.5	der **Zweck**, die Zwecke	. . . .	Mit „um ... zu" + Infinitiv kann man einen Zweck ausdrücken.
2.5a	**um ... zu**	. . . .	Mit „um ... zu" + Infinitiv kann man einen Zweck ausdrücken.
2.5b	**analysieren**, er analysiert, er hat analysiert	. . . .	Analysieren Sie die Sätze.
2.5c	die **Filtertüte**, die Filtertüten	. . . .	Man braucht Filtertüten, um Kaffee zu kochen.
	der **Zahn**, die Zähne	. . . .	Man braucht Zahnpasta, um sich die Zähne zu putzen.
2.6b	die **Bedeutung**, die Bedeutungen	. . . .	*Damit*-Sätze und *um ... zu*-Sätze haben die gleiche Bedeutung.

3 Schokolade

3.1	die **Kakaobohne**, die Kakaobohnen	. . . .	In Südamerika kennt man die Kakaobohne seit mehr als 2000 Jahren.
	importieren, er importiert, er hat importiert	. . . .	Im 17. Jahrhundert wurde der Kakao nach Europa importiert.

die	**Medizin**	. . . .	Hier wurde er aber lange nur als Medizin verkauft.
das	**Bauchweh**	. . . .	Er wurde als Medizin gegen Bauchweh verkauft.
	bitter	. . . .	Sie war leider ziemlich hart und bitter.
	ändern, er ändert, er hat geändert	. . . .	Das änderte erst der Schweizer Rudolphe Lindt.
	so genannt	. . . .	Er baute 1879 die so genannte „Conche".
die	**Schokoladenmasse**	. . . .	Die Maschine rührt Schokoladenmasse stundenlang.
	rühren, er rührt, er hat gerührt	. . . .	Die Maschine rührt Schokoladenmasse stundenlang.
der	**Prozess**, die Prozesse	. . . .	Der Prozess dauert oft mehr als 72 Stunden.
die	**Produktionsmethode**, die Pro-duktionsmethoden	. . . .	1972 verbesserte die Firma Lindt & Sprüngli diese Produktionsmethode.
die	**Schokoladenproduktion**, die Schokoladenproduktionen	. . . .	Für Schokoladenproduktion mit Milch braucht man nur noch zwei Stunden.
	formen, er formt, er hat geformt	. . . .	Dann wird die Schokolade geformt und verpackt.

verpacken, er verpackt, er hat verpackt · · · · · · · Dann wird die Schokolade geformt und verpackt.

die **Herstellung**, die Herstellungen · · · · · · · Lindts Erfindung wird heute überall zur Herstellung von Schokolade verwendet.

der **Produktionsstandort**, die Produktionsstandorte · · · · · · · Die Schweizer Lindt & Sprüngli Gruppe hat heute sechs Produktionsstandorte in Europa.

der **Schokoladenproduzent**, die Schokoladenproduzenten · · · · · · · Viele kleine Schokoladenproduzenten sind heute sehr erfolgreich.

die **Schokoladenproduzentin**, die Schokoladenproduzentinnen · · · · · · · Viele kleine Schokoladenproduzentinnen sind heute sehr erfolgreich.

die **Kräuter** (Pl.) · · · · · · · Spezialitäten wie Schokolade mit Kräutern sind heute sehr erfolgreich.

3.2

die **Gründung**, die Gründungen · · · · · · · Die Gründung der Firma fand 1898 statt.

der **Standort**, die Standorte · · · · · · · Lindt & Sprüngli hat zwei Standorte in den USA.

3.4a

die **Produktbeschreibung**, die Produktbeschreibungen · · · · · · · die Produktbeschreibung lesen

woraus · · · · · · · Woraus besteht das Produkt?

herstellen, er stellt her, er hat hergestellt

das **Mus**

der **Verkaufshit**, die Verkaufshits

die **Zentrale**, die Zentralen

die **Pflaume**, die Pflaumen

der **Zimt**

das **Gewürz**, die Gewürze

geheim

richtig

der **Appetit**

Wo wird es hergestellt?

Das Mus aus Mühlhausen ist ein Verkaufshit.

Das Mus aus Mühlhausen ist ein Verkaufshit.

Die Zentrale der Firma ist heute in Mönchengladbach.

Das Mus besteht aus Pflaumen, Zimt und anderen Gewürzen.

Das Mus besteht aus Pflaumen, Zimt und anderen Gewürzen.

Das Mus besteht aus Pflaumen, Zimt und anderen Gewürzen.

Das genaue Rezept ist geheim.

Ein Besuch auf der Internetseite macht richtig Appetit.

Ein Besuch auf der Internetseite macht richtig Appetit.

3.5 die **Produktionsbeschreibung**, die Produktionsbeschreibungen

. . . . Schreiben Sie eine Produktionsbeschreibung.

4 Die süße Seite Österreichs

4.1 das **Geheimnis**, die Geheimnisse

. . . . Das Rezept für die Sacher-Torte ist ein süßes Geheimnis.

das **Unternehmen**, die Unternehmen

. . . . Die Internetseite informiert über das Unternehmen Sacher.

die **Torte**, die Torten

. . . . Die Torte wird seit 1832 gebacken.

wohl

. . . . Seit 1832 ist die Sacher-Torte die wohl berühmteste Torte der Welt.

streng

. . . . Das Originalrezept ist ein streng gehütetes Geheimnis.

hüten, er hütet, er hat gehütet

. . . . Das Originalrezept ist ein streng gehütetes Geheimnis.

saftig

. . . . Die Torte besteht aus saftigem, flaumigem Schokoladenkuchen.

flaumig	. . . .	Die Torte besteht aus saftigem, flaumigem Schokoladenkuchen.
hausgemacht	. . . .	Der Schokoladenkuchen wird mit hausgemachter Marillenmarmelade verfeinert.
die **Marillenmarmelade**, *die Marillenmarmeladen*	. . . .	Der Schokoladenkuchen wird mit hausgemachter Marillenmarmelade verfeinert.
verfeinern, *er verfeinert, er hat verfeinert*	. . . .	Der Schokoladenkuchen wird mit hausgemachter Marillenmarmelade verfeinert.
perfektionieren, *er perfektioniert, er hat perfektioniert*	. . . .	Perfektioniert wird diese köstliche Torte mit einer edlen Kuvertüre.
köstlich	. . . .	Perfektioniert wird diese köstliche Torte mit einer edlen Kuvertüre.
edel	. . . .	Perfektioniert wird diese köstliche Torte mit einer edlen Kuvertüre.
die **Kuvertüre**, *die Kuvertüren*	. . . .	Perfektioniert wird diese köstliche Torte mit einer edlen Kuvertüre.
rein	. . . .	Die Original Sacher-Torte wird in reiner Handarbeit hergestellt.

die **Handarbeit**, *die Handarbeiten*	. . . .	Die Original Sacher-Torte wird in reiner Handarbeit hergestellt.
erfahren	. . . .	Die Sacher-Torte wird von erfahrenen Konditoren hergestellt.
der **Konditor**, *die Konditoren*	. . . .	Die Sacher-Torte wird von erfahrenen Konditoren hergestellt.
die **Konditorin**, *die Konditorinnen*	. . . .	Die Sacher-Torte wird von erfahrenen Konditorinnen hergestellt.
der **Bezirk**, *die Bezirke*	. . . .	Im 11. Wiener Bezirk werden heute rund 300.000 Torten pro Jahr hergestellt.
der **Verpacker**, *die Verpacker*	. . . .	Daran arbeiten auch 25 Verpacker und Verpackerinnen.
die **Verpackerin**, *die Verpackerinnen*	. . . .	Daran arbeiten auch 25 Verpacker und Verpackerinnen.
aufschlagen, *er schlägt auf, er hat aufgeschlagen*	. . . .	Eine Mitarbeiterin schlägt pro Tag 7.500 Eier auf.
dafür	. . . .	Heute gibt es dafür eine automatische Schneidemaschine.

	auto͟matisch	. . . .	Heute gibt es dafür eine automatische Schneidemaschine.
	genie͟ßen, er genießt, er hat genossen	. . . .	Am besten man genießt ein Stück Torte mit einer Tasse Kaffee.
	ungesüßt	. . . .	Am besten man genießt ein Stück Torte mit ungesüßtem Schlagobers.
	Schla͟gobers	. . . .	Am besten man genießt ein Stück Torte mit ungesüßtem Schlagobers.
	ma͟rkenrechtlich	. . . .	Die Original Sacher-Torte ist ein markenrechtlich geschütztes Produkt.
4.2	die **Beru͟fsbezeichnung,** die Berufsbezeichnungen	. . . .	Das ist die Berufsbezeichnung für einen Menschen, der Torten herstellt.
4.3	die **Wer͟besprache,** die Werbesprachen	. . . .	In der Werbesprache werden Produkte mit Adjektiven beschrieben.
4.3b	die **Erklä͟rung,** die Erklärungen	. . . .	Welche Adjektive passen zu diesen Erklärungen?
	die **Routi͟ne,** die Routinen	. . . .	Das bedeutet jemand hat viel Routine.
4.4a	das **Öl,** die Öle	. . . .	Man braucht etwas Öl und etwas Milch.
	das **Ba͟ckpulver,** die Backpulver	. . . .	Dann gibt man das Backpulver dazu.

die	**Kọchschokolade**, die Koch-schokoladen	. . . .	Im Rezept stehen 100 Gramm Kochschokolade.
die	**Erdbeermarmelade**, die Erd-beermarmeladen	. . . .	Für den Kuchen braucht man auch Erdbeermarmelade.
4.6 das	**Lieblingsrezept**, die Lieblings-rezepte	. . . .	Sacher-Torte ist mein Lieblingsrezept.
4.6b die	**Rezẹpt-Collage**, die Rezept-Collagen	. . . .	eine Rezept-Collage gestalten und präsentieren
das	**Orịginal**, die Originale	. . . .	Das Original stammt aus China.
	stạmmen, er stammt, er stammte	. . . .	Das Original stammt aus China.
die	**Raviọli** (Pl.)	. . . .	Marco Polo nannte sie Ravioli.
	fụ̈llen, er füllt, er hat gefüllt	. . . .	Man kann sie mit Fleisch oder vegetarisch füllen.
die	**Fụ̈llung**, die Füllungen	. . . .	Man trinkt die Suppe und isst die Füllung.
der	**Teig**, die Teige	. . . .	Man lässt etwas Teig auf dem Teller liegen.

Übungen

Ü

Ü2

weggehen, er geht weg, er ist weggegangen

Mit dieser Erfindung gehen Kopfschmerzen weg.

die **Fahrt (etw. in Fahrt bringen),** er bringt etw. in Fahrt, er hat etw. in Fahrt gebracht

Damit bringt man ein Auto in Fahrt.

Ü4

analog

Das Gegenteil von analog ist digital.

intransparent

Das Fenster war intransparent.

unpraktisch

Die Maschine war davor sehr unpraktisch.

unattraktiv

Sie war nicht attraktiv, niemand wollte sie kaufen.

unecht

Man kann auch unechte Sacher-Torte backen.

Ü5a

der **Autofahrer,** die Autofahrer

Mit dieser Erfindung können Autofahrer auch bei Schnee sicher fahren.

die **Autofahrerin,** die Autofahrerinnen

Mit dieser Erfindung können Autofahrerinnen auch bei Schnee sicher fahren.

der *Scheibenwischer, die Scheibenwischer*

Erst später baute man Autos mit Scheibenwischern.

der	**Fa̲hrer**, die Fahrer	. . . .	Der Fahrer hatte das Fenster offen, weil er schlecht sehen konnte.
die	**Fa̲hrerin**, die Fahrerinnen	. . . .	Die Fahrerin hatte das Fenster offen, weil sie schlecht sehen konnte.
die	**A̲utoindustrie**	. . . .	Aber die Autoindustrie hatte kein Interesse.
	P.S.	. . . .	P.S.: Auf dem Foto fahre ich das erste Mal Auto in Deutschland!

Ü6a

	ä̲hnlich	. . . .	Bei der Serienproduktion werden viele ähnliche Produkte produziert.
die	*Produkti̲onsstraße, die Pro-duktionsstraßen*	. . . .	Ein Fließband ist eine Produktionsstraße.
die	**Geschwi̲ndigkeit**, die Geschwindigkeiten	. . . .	Ein Fließband läuft immer mit gleicher Geschwindigkeit.
	ste̲hen (stehen für etw.), *er steht für etw., er hat für etw. gestanden*	. . . .	MP3 steht für MPEG-1 Audio Layer 3.
	MPEG-1 Audio Layer	. . . .	MP3 steht für MPEG-1 Audio Layer 3.

Ü6b

| das | *Kü̲hlproblem, die Kühlpro-bleme* | . . . . | Das Kühlproblem löste Carl von Linde. |

Ü7a

das	**Patentrecht**, die Patentrechte	. . . .	Das Patentamt arbeitet nach dem Patentrecht.
der	**Jahresbericht**, die Jahresberichte	. . . .	Im Jahresbericht 2013 gibt es eine Statistik.
	erteilen, er erteilt, er hat erteilt	. . . .	Das Europäische Patentamt prüft und erteilt europäische Patente.
der	**Hauptsitz**, die Hauptsitze	. . . .	Das EPA hat seinen Hauptsitz in München.
die	**Patentanmeldung**, die Patentanmeldungen	. . . .	Die meisten Patentanmeldungen kommen aus den USA.
	zwar	. . . .	Die Schweiz ist zwar ein kleines Land, hat aber viele Patente.
der	**Anteil**, die Anteile	. . . .	Die Schweiz hat 4 % Anteil an 66 700 Patenten.
	anwachsen, er wächst an, er ist angewachsen	. . . .	Die Zahl der Patente in China wächst sehr schnell an.
der	**Mitgliedstaat**, die Mitgliedstaaten	. . . .	13 % der Patente kommen aus anderen Mitgliedstaaten.
	prozentual	. . . .	Japan hat prozentual weniger Patente als Deutschland.

Ü7b

Ü8b

die	**Prüfung**, die Prüfungen	. . . .	Die Prüfung von einem Patent findet im EPA statt.

sauber . . . . Der Transport von Lebensmitteln muss sauber und sicher sein.

Ü11a die **Milchschokolade**, die Milch-schokoladen . . . . Wieviel Zeit braucht man zur Herstellung von Milchschokolade?

die **Schokoladenspezialität**, die Schokoladenspezialitäten . . . . Welche Schokoladenspezialitäten sind in Deutschland beliebt?

Ü13 das **Bärchen**, die Bärchen . . . . Ein Bärchen geht um die Welt.

Ü13a das **Gummibärchen**, die Gummi-bärchen . . . . Gummibärchen werden von allen Kindern und vielen Erwachsenen geliebt.

Bonner . . . . Heute ist Haribo ein großer Konzern mit Sitz im Bonner Stadtteil Kessenich.

das **Haribo-Produkt**, die Haribo-Produkte . . . . Haribo-Produkte werden in mehr als 100 Ländern verkauft.

die **Packung**, die Packungen . . . . In der Packung sind immer mehr rote Bärchen.

das **Werbemotto**, die Werbemot-tos . . . . Viele Deutsche kennen das Werbemotto der Firma.

das **Motto**, Mottos . . . . 1962 wurde das Motto ergänzt.

der	**Werbespruch**, die Werbesprü-che	. . . .	Es ist der bekannteste Werbespruch in Deutschland.
der	**Gründer**, die Gründer	. . . .	Hans Riegel ist der Gründer der Firma Haribo.
die	**Gründerin**, die Gründerinnen	. . . .	Sie ist die Gründerin ihrer eigenen Firma.
Ü13b der	**Firmen-Name**, die Firmen-Namen	. . . .	Woher kommt der Firmen-Name?
	fertigen, er fertigt, er hat gefertigt	. . . .	Die Sacher-Torte wird noch heute in Handarbeit gefertigt.
Ü15 der	**Arbeitsschritt**, die Arbeits-schritte	. . . .	Ordnen Sie die Arbeitsschritte.
Ü16a die	**Masse**, die Massen	. . . .	Die Masse wird in einer Tortenform gebacken.
die	**Tortenform**, die Torten-formen	. . . .	Die Masse wird in einer Tortenform gebacken.
die	**Mandel**, die Mandeln	. . . .	Nach den Möhren und Mandeln wird der Eischnee untergehoben.
der	**Eischnee**	. . . .	Nach den Möhren und Mandeln wird der Eischnee untergehoben.

unterheben, er hebt unter, er hat untergehoben   . . . .   Nach den Möhren und Mandeln wird der Eischnee untergehoben.

das **Eigelb**, die Eigelbe   . . . .   Zuerst werden das Eigelb, der Zucker und weitere Zutaten gemischt.

der **Puderzucker**   . . . .   Nach dem Backen wird alles mit Marmelade und Puderzucker überzogen.

überziehen, er überzieht, er hat überzogen   . . . .   Nach dem Backen wird alles mit Marmelade und Puderzucker überzogen.

gerieben   . . . .   Im dritten Schritt werden geriebene Möhren hinzugegeben.

hinzugeben, er gibt hinzu, er hat hinzugegeben   . . . .   Im dritten Schritt werden geriebene Möhren hinzugegeben.

Fit für B1? Testen Sie sich!

der **Vorgang**, die Vorgänge   . . . .   Im Passiv kann man Vorgänge beschreiben.

Station 4

Station 4

1 Berufsbilder

1.1

der **Hotelkaufmann**, *die Hotelkaufmänner*   . . . .   Beat Ruchti macht eine Ausbildung zum Hotelkaufmann.

die **Rezeption**, *die Rezeptionen*   . . . .   Im Moment arbeitet er an der Rezeption.

der **Gepäcktransport**, *die Gepäcktransporte*   . . . .   Er organisiert den Gepäcktransport.

erfüllen, *er erfüllt, er hat erfüllt*   . . . .   Manche Gäste haben Wünsche, die man nicht erfüllen kann.

die **Hotelfachfrau**, *die Hotelfachfrauen*   . . . .   Als Hotelfachfrau ist sie für die Zimmer zuständig.

zuständig (sein), *er ist zuständig, er war zuständig*   . . . .   Als Hotelfachfrau ist sie für die Zimmer zuständig.

die **Hotelfachleute** (Pl.)   . . . .   In Hotels erledigen Hotelfachleute verschiedene Aufgaben.

der **Zimmerservice**   . . . .   Sie machen den Zimmerservice.

sauber halten, er hält sauber, er hat sauber gehalten	. . . .	Sie halten die Gästezimmer sauber und machen die Betten.
das **Gästezimmer**, die Gästezimmer	. . . .	Sie halten die Gästezimmer sauber und machen die Betten.
die **Restaurantfachfrau**, die Restaurantfachfrauen	. . . .	Sie hat in Sachsen eine Ausbildung zur Restaurantfachfrau gemacht.
der **Restaurantfachmann**, die Restaurantfachmänner	. . . .	Er hat in Sachsen eine Ausbildung zum Restaurantfachmann gemacht.
die **Restaurantfachleute** (Pl.)	. . . .	Restaurantfachleute bedienen Gäste und arbeiten im Restaurant.
die **Speise**, die Speisen	. . . .	Sie servieren Speisen und Getränke.
der **Grund (im Grunde)**	. . . .	Im Grunde habe ich mein Hobby zum Beruf gemacht.
professionell	. . . .	In großen Küchen ist alles sehr professionell organisiert.
die **Kaltspeise**, die Kaltspeisen	. . . .	Es gibt Köche, die Kaltspeisen vorbereiten.
die **Süßspeise**, die Süßspeisen	. . . .	Es gibt Köche für Soßen und Experten für Süßspeisen.

der	**Küchenchef,** die Küchenchefs	. . . .	Benjamin möchte später Küchenchef werden.
der	**Einkauf,** die Einkäufe	. . . .	Der Küchenchef macht auch den Einkauf.
1.4a die	**Karrierechance,** die Karrierechancen	. . . .	In dem Beruf gibt es gute Karrierechancen.
1.4c der	**Hotelberuf,** die Hotelberufe	. . . .	Ich habe noch zwei Fragen und Antworten zu den Hotelberufen notiert.
1.5 der	**Lokführer,** die Lokführer	. . . .	Er ist von Beruf Lokführer.
die	**Lokführerin,** die Lokführerinnen	. . . .	Sie ist von Beruf Lokführerin.
1.5a der	**Arbeitstag,** die Arbeitstage	. . . .	Ann-Kathrin erzählt über ihren Arbeitstag.

2 Wörter – Spiele – Training

2.1 die	**Berufsstatistik,** die Berufsstatistiken	. . . .	Machen Sie im Kurs eine Berufsstatistik.
der	**Bankkaufmann,** die Bankkaufmänner	. . . .	Im Kurs gibt es zwei Bankkaufmänner.

die	**Bankkauffrau**, *die Bankkauffrauen*	. . . . . .	Im Kurs gibt es eine Bankkauffrau.
2.2	die	**Bildbeschreibung**, *die Bildbeschreibungen*	. . . . . .	Üben Sie eine Bildbeschreibung.
2.2a	die	**Wiese**, *die Wiesen*	. . . . . .	Auf dem Bild sieht man eine Wiese.
	der	**Hügel**, *die Hügel*	. . . . . .	Auf dem Hügel stehen Häuser.
	der	**Zaun**, *die Zäune*	. . . . . .	Hinten sehe ich einen Zaun.
	die	**Eisenbahn**, *die Eisenbahnen*	. . . . . .	Vorne gibt es Bahnschienen und eine Eisenbahn.
	die	**Bahnschiene**, *die Bahnschienen*	. . . . . .	Vorne gibt es Bahnschienen und eine Eisenbahn.
	der	**Mittelpunkt**, *die Mittelpunkte*	. . . . . .	Im Mittelpunkt steht ein Mann.
2.2b	der	**Künstler**, *die Künstler*	. . . . . .	Aus welchem Land kommt der Künstler?
	die	**Künstlerin**, *die Künstlerinnen*	. . . . . .	Aus welchem Land kommt die Künstlerin?
2.4	der	**Ferienjob**, *die Ferienjobs*	. . . . . .	Hattest du schon mal einen Ferienjob?
	der	**Weihnachtsmarkt**, *die Weihnachtsmärkte*	. . . . . .	Warst du schon mal auf einem Weihnachtsmarkt?

2.5	die	**Hotelfachschule,** die Hotel-fachschulen	. . . .	Sie geht auf die Hotelfachschule.
2.6	der	**Landeskundetest,** die Landes-kundetests	. . . .	Machen Sie einen Landeskundetest.
	der	**Nationalfeiertag,** die Natio-nalfeiertage	. . . .	An diesem Tag ist der österreichische Nationalfeiertag.
		schweizerisch	. . . .	An diesem Tag ist der schweizerische Nationalfeiertag.

3 Filmstation

3.1a	die	**Hexe,** die Hexen	. . . .	Kinder verkleiden sich an Halloween als Hexen.
3.1b	die	**Verkleidung,** die Verklei-dungen	. . . .	Die Verkleidung als Geist ist sehr beliebt.
3.1b	das	**Gespenst,** die Gespenster	. . . .	Nur Erwachsene verkleiden sich abends als Gespenster.
3.1c	der	**Spuk**	. . . .	Das Fest hat viel mit Spuk zu tun.

der **Spruch**, die Sprüche .... Die Kinder sagen einen Spruch und bekommen Süßigkeiten.

gruseln (sich), er gruselt sich, er hat sich gegruselt .... Na dann, fröhliches Gruseln.

spuken, es spukt, es hat gespukt .... Was Süßes raus, sonst spukt's im Haus.

3.1d

der **Mythos**, die Mythen .... Was ist ein Mythos?

3.3

überliefern, er überliefert, er hat überliefert .... Ein Mythos ist eine überlieferte Erzählung aus der Vorzeit eines Volkes.

die **Erzählung**, die Erzählungen .... Ein Mythos ist eine überlieferte Erzählung aus der Vorzeit eines Volkes.

die **Vorzeit**, die Vorzeiten .... Ein Mythos ist eine überlieferte Erzählung aus der Vorzeit eines Volkes.

das **Volk**, die Völker .... Ein Mythos ist eine überlieferte Erzählung aus der Vorzeit eines Volkes.

der **Gott**, die Götter .... Ein Mythos befasst sich mit Göttern und der Entstehung der Welt.

die	**Entstehung**, die Entstehungen	. . . .	Ein Mythos befasst sich mit Göttern und der Entstehung der Welt.
	befassen (sich mit etw.), er befasst sich mit etw., er hat sich mit etw. befasst	. . . .	Ein Mythos befasst sich mit Göttern und der Entstehung der Welt.
die	**Begebenheit**, die Begebenheiten	. . . .	Ein Mythos kann auch eine Begebenheit sein, die schwer zu erklären ist.
	verehren, er verehrt, er hat verehrt	. . . .	Oder er kann eine verehrte Person oder Sache sein.
3.5a die	**Glasur**, die Glasuren	. . . .	Die Schokolade für die Glasur wird nur für diese Torte produziert.

4

Magazin

die	**Vorweihnachtszeit**	. . . .	Vorweihnachtszeit ist eigentlich immer.
	riechen (nach), es riecht, es hat gerochen	. . . .	Auf allen Marktplätzen riecht es nach Glühwein und Bratwurst.
der	**Glühwein**, die Glühweine	. . . .	Auf allen Marktplätzen riecht es nach Glühwein und Bratwurst.

das	**Weihnachtsgebäck**	. . . .	Auf allen Marktplätzen riecht es nach Weihnachtsgebäck und Bratäpfeln.
der	**Bratapfel**, *die Bratäpfel*	. . . .	Auf allen Marktplätzen riecht es nach Weihnachtsgebäck und Bratäpfeln.
der	**Christkindlesmarkt**, *die Christkindlesmärkte*	. . . .	Der berühmteste Weihnachtsmarkt ist der Christkindlesmarkt in Nürnberg.
das	**Tabu**, *die Tabus*	. . . .	Ein Tabu gibt es allerdings.
	allerdings	. . . .	Ein Tabu gibt es allerdings.
das	**Weihnachtslied**, *die Weihnachtslieder*	. . . .	Weihnachtslieder im Juli: Das geht gar nicht.
das	**Au-pair-Mädchen**, *die Au-pair-Mädchen*	. . . .	Ein Au-pair-Mädchen in Frankfurt musste das lernen.
	übrigens	. . . .	Das Lied wurde übrigens Anfang des 19. Jahrhunderts in Weimar zuerst gesungen.
der	**Priester**, *die Priester*	. . . .	Der Priester Joseph Mohr schrieb das Lied „Stille Nacht".
die	**Weihnachtsvorbereitung**, *die Weihnachtsvorbereitungen*	. . . .	Am Morgen war man gerade bei den Weihnachtsvorbereitungen.

komponieren, *er komponiert, er hat komponiert*	Sein Freund Franz Gruber komponierte sofort eine Melodie.
beeilen (sich), *er beeilt sich, er hat sich beeilt*	Die Männer mussten sich beeilen.
die **Sängergruppe**, *die Sängergruppen*	Wenige Stunden später wurde das Lied von einer Sängergruppe geübt.
der **Kirchenbesucher**, *die Kirchenbesucher*	Die Kirchenbesucher waren begeistert.
die **Kirchenbesucherin**, *die Kirchenbesucherinnen*	Die Kirchenbesucherinnen waren begeistert.
still	Stille Nacht, heilige Nacht.
heilig	Stille Nacht, heilige Nacht.
wachen, *er wacht, er hat gewacht*	Alles schläft, einsam wacht nur das traute hochheilige Paar.
traut	Alles schläft, einsam wacht nur das traute hochheilige Paar.
hochheilig	Alles schläft, einsam wacht nur das traute hochheilige Paar.

hold	Holder Knabe im lockigen Haar.
der **Knabe**, *die Knaben*	Holder Knabe im lockigen Haar.
lockig	Holder Knabe im lockigen Haar.
himmlisch	Schlaf in himmlischer Ruh.
der **Advent**	Advent, Advent ein Lichtlein brennt...
das **Lichtlein**, *die Lichtlein*	Advent, Advent ein Lichtlein brennt...
das **Kindergedicht**, *die Kindergedichte*	Das Kindergedicht hört man in den vier Wochen vor Weihnachten oft.
das **Plätzchen**, *die Plätzchen*	Man backt Plätzchen und bereitet sich auf die Weihnachtstage vor.
trotz	Trotz Kaufrausch und Hektik ist Weihnachten für die meisten Menschen sehr wichtig.
der **Kaufrausch**	Trotz Kaufrausch und Hektik ist Weihnachten für die meisten Menschen sehr wichtig.
die **Hektik**	Trotz Kaufrausch und Hektik ist Weihnachten für die meisten Menschen sehr wichtig.
das **Loch**, *die Löcher*	In der Mitte des Apfels wird ein Loch gemacht.

das	**Marzipan**, die Marzipane	Der Apfel wird mit Marzipan, Nüssen und Rosinen gefüllt.
der	**Ofen**, die Öfen	Dann wird er im Ofen gebacken.
	weihnachtlich	Er schmeckt immer - als weihnachtliches Dessert oder auch einfach so.
die	**Fragen-Rallye**, die Fragen-Rallyes	Machen Sie eine Fragen-Rallye.
das	**Geburtstagslied**, die Geburtstagslieder	Singen Sie den Anfang eines Geburtstagsliedes.
das	**Streichholzschächtelchen**, die Streichholzschächtelchen	Sagen Sie ganz schnell: tschechisches Streichholzschächtelchen.
	chronologisch	Ordnen Sie die Feste chronologisch.
	touristisch	Nennen Sie die drei touristische Attraktionen in Weimar.